CW00663913

Studio sui modelli di gestione delle se

Akanksha Pandey
M.L. Sharma

Studio sui modelli di gestione delle sementi tra gli agricoltori tribali del Chhattshi.

ScienciaScripts

INDICE DEI CONTENUTI

RICONOSCIMENTO

*Prima di tutto vorrei ringraziare e lodare **"Dio"** onnipotente, il più benefico e misericordioso, per tutto il suo amore e le benedizioni conferite all'umanità. Poi vorrei ringraziare i miei **"papà, mamma, amma e baba"** che mi hanno dato l'opportunità di frequentare gli studi superiori.*

*Ringrazio cordialmente il mio Major Advisor **Dr. M.L. Sharma**, professore e capo del Dipartimento di Estensione Agricola, Indira Gandhi Krishi Vishwavidhalaya, Raipur (C.G.) per la sua preziosa e stimolante guida, l'interesse, l'intuizione della ricerca, la supervisione unica, la critica costruttiva e i consigli durante l'indagine e la preparazione di questa tesi.*

*Esprimo i miei più sinceri saluti e la mia più sentita gratitudine al mio professore, **Dr. P. K. Pandey** e anche ai membri del mio comitato consultivo Dr. H. K. Awasthi, Professore (Agril. Extension) Dr. P.K. Chandrakar Professore (plant breeding) Dr. (Smt.) Sindhu Shukla, Senior Scientist, (Agril. Statistics) IGKV, Raipur per la loro gentilezza e supervisione, la motivazione e il supporto che mi hanno spinto verso il duro lavoro e la puntualità senza la loro gentile collaborazione non sarebbe stato facile completare questa tesi.*

Un sincero ringraziamento al Dr.G K. Shrivastava, (Professore) e NCC officer Department of Agronomy COA Raipur, per l'instancabile sforzo e la dedizione dimostrata durante la formattazione della tesi.

Sono profondamente in debito con un profondo senso di gratitudine per la guida e la collaborazione del Dr. J.D. Sarkar (Professore), Dr. K.K. Shrivastava, (Professore), Dr.R.S. Senger (Professore), Dr.D.K.Shuryawanshi (Professore Associato), Dr. M.K. Chaturvedi (Assistente Professore) Dr. P. K. Sangode (Assistente Professore) e Dr. M.A. Khan (Assistente Professore), Agricultural Extension, IGKV, Raipur.

Sono molto grato all'Onorevole Vice-Cancelliere Dr. S. K. Patil, al Dr. S.S. Rao, Preside del College of Agriculture di Raipur, al Dr. J. S. Urkurkar, Direttore dei Servizi di Ricerca, al Dr. M. P. Thakur, Direttore dei Servizi di Estensione, al Dr. S.S. Sengar, Preside del Welfare degli Studenti e al Dr. S. S. Shaw, Direttore delle Istruzioni dell'IGKV di Raipur per aver fornito le strutture necessarie per condurre la presente indagine.

Ho un immenso piacere nell'esprimere il mio più sentito senso di apprezzamento a Sunil Narbaria, P. K. Netam, A. Thakre, Verendra kumar painkra, Youvraj shingh Dhruw, Deelip Kumar Bande, H. K. Ptra, Subodh Kumar Pradhan, (borsisti del dottorato) per il loro tempestivo aiuto e i loro consigli durante il lavoro di ricerca. Esprimo inoltre i miei ringraziamenti a Shri Basant Chandrakar e Smt. Patarangi.

*Ho un immenso piacere nell'esprimere il mio più sincero senso di apprezzamento a **Vijendra Sharma**, per il suo amore, il suo aiuto e i suoi incoraggiamenti durante lo studio.*

Sono estremamente grata alle mie senior Priyanka Chandrakar e Umarani Singh per il loro amore e i loro incoraggiamenti durante lo studio.

Ringrazio di cuore i miei amici Shilpa, Kingki Ballu, Mithun, Priya, Reva, Sita Naik, Preeti Bhagat, Ashish Kumar Gupta, Manish, Bhupesh, Teerth Singh, Nitesh, Laxmikant, Lalita Sahu e altri amici per la loro collaborazione e i loro incoraggiamenti.

Sono anche grato ai miei studenti subhi, kumari Jyoti, Arvind Painkra, Anjay singh, Chandrakant Dubey, K. Thirupathiah, Lemesh Pandey, Pooja Bose, Mirza altaf Beg, Neelam Jaiswal, Yasobanta Meher e altri.

Sono molto grato a tutti gli intervistati e alle loro famiglie che mi hanno fornito le informazioni necessarie per il presente studio.

In effetti, le parole sono inadeguate, sia nella forma che nello spirito, per trasmettere il mio profondo senso di gratitudine e apprezzamento ai miei genitori: shri D. K. Pandey (papà), smt. Archana

2

Pandey (mia madre), shri S. N. Pandey (nonno), smt. Rukmani Pandey (nonna), Shri Manish Pandey, shri Rajnish Pandey, shri Sunish Pandey (Chacha), Meenakshi, Ananya, Anvita (le mie adorabili sorelle), Abhishek, Ashish, Aayush, Anusthan (i miei adorabili fratelli) e tutti i membri della famiglia per il loro amore, i loro sacrifici e le loro benedizioni per i miei studi.

AKANKSHA PANDEY

ELENCO DELLE ABBREVIAZIONI

Abbreviations	Description
%	Per cent
@	At the rate of
a.i	Active ingredient
CD	Critical difference
Cm	Centimeter
DAS	Day after sowing
DMP	Dry matter production
EC	Emulsifiable Concentration
et al.	And others/ co-workers
F	Frequency
fb.	followed by
Fig	Figure
G	Gram
Ha	Hectare
Hr	Hour
HW	Hand weeding
i.e.	That is
Kg	Kilogram
L	Liter
M	Meter
MJ	Mega joule
Mm	Millimeter
No.	Number
NS	Non significant
P	Percentage
PoE	Post- emergence
PE	Production efficiency
Q	Quintal
Re	Rupee
Rs	Rupees
SRR	Seed replacement rate
SEm±	Standard error of mean
viz.	Namely

ABSTRACT

La presente ricerca, intitolata "**Study on seed management pattern among the tribal farmers of Northern Hills Agro-Climatic Zone of Chhattisgarh state**", è stata condotta nel corso dell'anno 2014-15 nei distretti di Surguja e Surajpur dello Stato del Chhattisgarh. Lo Stato del Chhattisgarh è composto da 27 distretti, tra i quali sono stati selezionati in modo mirato i distretti di Surguja e Surajpur. Dei blocchi totali di questi due distretti, ne sono stati selezionati quattro. Sul totale dei villaggi dei blocchi di Ambikapur, Batouli, Bhaiyathan e Surajpur sono stati selezionati in modo casuale otto villaggi. Da ogni villaggio selezionato, 15 agricoltori tribali sono stati scelti a caso per la raccolta dei dati. In totale, quindi, 120 agricoltori tribali sono stati considerati come intervistati per il presente studio. I dati sono stati raccolti personalmente attraverso un programma di interviste pre-testato e analizzati utilizzando metodi statistici appropriati.

Lo studio ha rivelato che la maggior parte degli intervistati appartiene alla fascia di età media (da 36 a 55 anni), ha un livello di istruzione fino alla quinta classe e una famiglia di medie dimensioni (da 6 a 10 membri). La maggior parte degli intervistati era membro di un'organizzazione, aveva un'esperienza agricola media (16-30 anni) e il 100% degli intervistati svolgeva l'attività agricola come professione. Per quanto riguarda la partecipazione alle attività di divulgazione, la maggior parte degli intervistati (57,5%) aveva contatti con gli agenti di divulgazione.

La maggior parte degli intervistati possiede terreni di medie dimensioni (da 2 a 4 ettari) e sopravvive con un reddito fino a 50000 rupie. La maggior parte (65%) degli intervistati ha acquistato credito dalla società cooperativa (49,17%) e la durata del credito è stata di 6 mesi per l'acquisto di fertilizzanti e altri strumenti o fattori di produzione. La maggior parte degli intervistati aveva un credito fino a 10000-20000 rupie. Circa l'86,67% degli intervistati ha ottenuto informazioni sulla gestione delle sementi dagli addetti all'agricoltura rurale (RAEO). La maggior parte degli intervistati (60,83%) ha utilizzato più di 5 fonti di informazione. Nell'area di studio, il 47,50% degli intervistati aveva una cosmopolitica media (una volta alla settimana). La partecipazione di genere alle pratiche di gestione delle sementi ha coinvolto sia le donne che gli uomini, ma le donne sono state predominanti con il massimo del numero di intervistati. Per quanto riguarda l'utilizzo di diverse fonti di sementi, il 35 e il 29,17% degli intervistati ha utilizzato rispettivamente la cooperazione statale per le sementi e gli scambi di sementi tra agricoltori. Per quanto riguarda la disponibilità di sementi tempestive, il 44,17% non ne aveva quasi, il 65,83% ne aveva di parzialmente pure. Circa il 72,5% degli intervistati ha acquistato i semi, il che è stato costoso; la maggior parte degli intervistati ha avuto una scarsa disponibilità di semi in base alle esigenze, mentre il 54,17% ha avuto semi all'interno del villaggio. Per quanto riguarda la gestione delle sementi, l'83,33% degli intervistati ha adottato varietà locali in meno del 25% delle aree. La maggior parte degli intervistati praticava 1-2 arature, 25-30 kg ha di sementi^{-1} , il 40,35% adottava tecniche indigene, la maggior parte degli intervistati utilizzava fertilizzanti, concimi e diserbo. La maggior parte degli intervistati ha praticato la pulizia dell'aia, la separazione degli inerti e dei semi infestanti, l'essiccazione, il trattamento dei cassoni, la classificazione e il controllo degli insetti.

Per quanto riguarda la struttura di stoccaggio delle sementi, la maggior parte degli intervistati (45,83%) ha utilizzato sacchi di plastica per la conservazione dei semi di riso.

Per quanto riguarda il tasso di sostituzione delle sementi tra gli intervistati dal 2010 al 2014, il rapporto medio di sostituzione delle sementi per la coltura del riso è stato rispettivamente del 52,80%, per la coltura del grano del 23,14% e per la coltura del mais del 48,16%. Per quanto riguarda il tasso di sostituzione delle sementi nelle diverse categorie di intervistati per la coltura del riso, il tasso medio di sostituzione delle sementi dei piccoli e marginali agricoltori è stato del 47,96%, quello dei medi agricoltori del 37,92% e quello dei grandi agricoltori del 76,34%. Pertanto, un numero maggiore di grandi agricoltori ha sostituito le proprie sementi rispetto agli altri.

L'analisi di correlazione ha rivelato che delle 14 variabili indipendenti solo 5, ossia l'acquisizione di credito, la fonte di informazioni, la cosmopolitica, le fonti di sementi e il reddito annuo, sono risultate positive e significativamente correlate con il tasso di sostituzione delle sementi degli intervistati a livello di probabilità 0,01 e 0,05. Nella regressione multipla solo 3 variabili, ossia le fonti di informazione, le fonti di sementi e il reddito annuale, hanno contribuito in modo positivo e significativo al tasso di sostituzione delle sementi degli intervistati. Le restanti 11 variabili non hanno indicato alcun contributo significativo nel tasso di sostituzione delle sementi degli agricoltori. Tuttavia, tutte le 14 variabili inserite nel modello mostrano un contributo del 68,9% nel tasso di sostituzione delle sementi tra gli intervistati per quanto riguarda la coltura del riso. I vincoli nella gestione e nella sostituzione delle sementi segnalati dagli intervistati sono stati raggruppati in due categorie: vincoli nella sostituzione delle sementi e vincoli nella gestione delle sementi. Nel caso della sostituzione delle sementi, la mancanza di informazioni sulle nuove varietà è stata notata come il vincolo principale (41,67%) e il 4,17% di sostituzione di sementi rischiose è stato il vincolo minore. Per quanto riguarda la gestione delle sementi, la scarsità di impianti di irrigazione è stata notata come vincolo principale (50%) e il vincolo minore (4,17%) è stata la mancanza di informazioni complete sulle nuove tecniche e varietà. Per quanto riguarda i suggerimenti offerti dagli intervistati per eliminare i vincoli, la maggior parte (54,17%) degli agricoltori ha suggerito che dovrebbero essere disponibili gli impianti di irrigazione, seguiti dalle informazioni sulle nuove varietà e tecniche in tempo utile, i vari fattori di produzione come sementi, fertilizzanti, ecc. dovrebbero essere disponibili nel villaggio regolarmente e tempestivamente, le previsioni del tempo dovrebbero essere disponibili e dovrebbero essere fornite strutture di stoccaggio migliori, ecc.

6

CAPITOLO - 1

INTRODUZIONE

L'agricoltura svolge un ruolo importante nell'economia indiana. Dall'indipendenza, l'India ha raggiunto grandi risultati nel settore agricolo, passando dall'importazione di cereali alimentari all'autosufficienza e all'esportazione dei principali prodotti agricoli, con un contributo del 13,7% al PIL nazionale (2012-13). Un indiano medio spende quasi la metà della sua spesa in cibo, mentre circa la metà della forza lavoro indiana è impegnata nell'agricoltura per il proprio sostentamento. I semi non sono solo un simbolo forte della sovranità alimentare e della biodiversità, ma anche uno degli elementi importanti per rafforzare le comunità agricole. In India esistono due tipi di sistemi di sementi: il sistema formale, orientato al mercato e sviluppato dal settore pubblico e/o privato, e il sistema di produzione familiare o comunitario, basato principalmente su scambi e doni di sementi tra vicini e sul mercato informale tradizionale.

I semi sono gli organi riproduttivi che rappresentano la continuità e il cambiamento della specie. I semi sono un mezzo per la dispersione spaziale e temporale delle popolazioni vegetali. Incarnano le combinazioni genetiche che determinano le caratteristiche intrinseche delle piante e quindi il loro adattamento agli agroecosistemi in cui crescono. Il seme è l'input fondamentale, vitale e centrale in agricoltura, che gioca un ruolo chiave nel decidere le prestazioni di tutti i sistemi agricoli e della maggior parte degli altri input agricoli, come fertilizzanti, prodotti agrochimici, acqua, ecc. Le sementi, veicolo di trasmissione dei benefici della tecnologia, influenzano la crescita e la sostenibilità dell'agricoltura indiana. È la disponibilità tempestiva di sementi di qualità, della varietà giusta e in quantità adeguate, a determinare la forza e la salute dell'economia agricola, soprattutto in Paesi come l'India. È necessario che gli agricoltori utilizzino semi puri e sani, conformi agli standard minimi di certificazione e con una percentuale di germinazione standard. Le sementi sono infatti il fondamento dell'agricoltura. L'adagio è che "come semini così raccogli". Abbiamo bisogno di sementi per garantire il nostro cibo per domani.

I semi presentano alcune caratteristiche qualitative uniche. Oltre alla qualità genetica, gli standard di qualità fisica (assenza di erbe infestanti), fisiologica (capacità germinativa e vigore) e sanitaria (assenza di parassiti e malattie trasmesse dai semi) sono caratteristiche fondamentali della purezza delle sementi. Gli agricoltori hanno affinato nel tempo le tecniche per mantenere questi attributi di qualità come parte della selezione delle colture e della conservazione delle sementi nell'ambiente in cui operano.

Le sementi forniscono la maggior parte del cibo per l'umanità. Ogni anno circa il 60% delle colture agricole alimentari viene coltivato attraverso le sementi, producendo oltre 2,3 miliardi di tonnellate di cereali, escluse le colture orticole. Attualmente dipendiamo da 30 colture, molte delle quali sono cereali coltivati per i loro chicchi, dove le tre colture alimentari più importanti, cioè , grano, riso e mais, rappresentano il 75% del consumo globale di cereali (SAM, 1984).

Essendo le sementi l'input fondamentale nella produzione delle colture, la loro alta qualità è alla base di un'elevata produttività. Sebbene le sementi rappresentino una piccola parte del costo totale della coltivazione nella maggior parte delle colture, questo input vitale influisce in modo significativo sull'efficienza di altri input come macchinari agricoli, irrigazione, fertilizzanti chimici, pesticidi, manodopera, ecc. Molti degli sforzi e degli investimenti sarebbero vanificati se non si utilizzassero sementi di qualità. La produzione di sementi di qualità e la gestione delle sementi è un programma specializzato in cui gli agricoltori eseguono vari tipi di pratiche come la selezione delle sementi, il trattamento delle sementi, la sgrossatura, l'estirpazione, la raccolta delle sementi, la trebbiatura, la vangatura, la pulizia, l'essiccazione, lo stoccaggio, la gestione degli insetti nocivi, la fumigazione, la conservazione dell'umidità delle sementi, il controllo dei roditori, la classificazione, il trasporto e la vendita, ecc.

Il tasso di sostituzione delle sementi è la percentuale di superficie seminata rispetto alla superficie totale della coltura piantata nella stagione utilizzando sementi certificate/di qualità diverse da quelle salvate in azienda. Questo è essenziale per mantenere la purezza genetica e la produzione di sementi di qualità. Il tasso di sostituzione delle sementi dà un'idea della quantità di sementi di qualità utilizzate dagli agricoltori.

$$SRR = X / Y \times 100$$

Dove,

X = Superficie netta sostituita con l'utilizzo di sementi di qualità migliorata

Y = Superficie totale coltivata

Idealmente, le sementi dovrebbero essere sostituite ogni anno per gli ibridi e ogni tre o quattro anni per i non ibridi. Tuttavia, nella pratica le sementi vengono sostituite meno spesso, soprattutto nel caso di colture a impollinazione libera. Un metodo semplice consiste nel considerare il rapporto tra le sementi di qualità di una coltura prodotte durante l'anno e le sementi totali necessarie per coprire l'intera superficie coltivata. Questo metodo non considera i prodotti delle generazioni F2, F3 e F4 distribuiti come sementi tra gli agricoltori.

Nell'anno 2011-12, in India, il rapporto di sostituzione delle sementi nelle diverse colture: risone 40,42, grano 32,55, mais 56,58, gram 19,35, urd 34,41, moong 30,29, arhar 22,16, arachide 78,88, jwar 23,85, bajra 60,4 e soia è pari al 32,47% (fonte: http://www.seednet.gov.in). L'SRR nelle diverse colture e nei diversi Stati (SRR medio nazionale, più alto e più basso) è il seguente: risone (33%), 82% in AP, più alto e più basso 9% in Uttrakhand, mais (50%), Karnataka (100%), 5% in Orissa, grano (25%), 42% Maharashtra, 11% J&K, bajra (63%), 100% Gujarat, 29% Karnataka. Una delle ragioni della scarsa sostituzione delle sementi certificate potrebbe essere il loro prezzo elevato e la non disponibilità nel luogo giusto al momento giusto. Ciò è particolarmente vero nel caso dei piccoli agricoltori che generalmente hanno una scarsa disponibilità di denaro contante. Il periodo di rinnovo delle sementi raccomandato dalla Commissione Nazionale per l'Agricoltura (1976) è di quattro anni per il risone.

Il tasso di sostituzione delle sementi (SRR) di diverse colture principali dello Stato del Chhattisgarh 2014-15 è rispettivamente del 43,33% per il risone, del 32,22 per il grano, del 55,44% per il mais, del 24,15% per l'arhar, del 34,90% per il til, del 30,02% per la senape, del 3,37% per le arachidi e del 45,80 per la soia. (Direzione dell'Agricoltura). Nello Stato del Chhattisgarh, l'area totale di produzione di sementi è di 53.074 ettari e la produzione di sementi è di 10.46.245 q (2012-13). La distribuzione delle sementi delle principali colture (in q) nello Stato è la seguente: riso-528810, grano-51274, mais-8156, soia- 80338, arhar-2826, gram-45339 e Niger-322 q.

La popolazione totale del Chhattisgarh è di 2.08.33.803 abitanti, di cui il 31,76% (66.16.396) sono tribali. La popolazione totale del distretto di Surguja è di 23.61.3.29 abitanti, di cui il 59,19 percento è costituito da tribali. Nel distretto di Surguja prevale la popolazione tribale. Nonostante le tecniche agricole tradizionali e primitive, il basso utilizzo di tecnologie innovative, la mancanza di impianti di irrigazione adeguati, essi coprono la maggior parte dell'area di sostituzione delle sementi nello Stato di Chhattisgarh. Alla luce di quanto sopra, questo studio è stato concepito per esplorare le possibilità di una maggiore gestione delle sementi e del tasso di sostituzione nel distretto di Surguja.

Tenendo conto di tutti questi fatti, nel corso dell'anno 2014-15 è stata pianificata un'indagine dal titolo **"Study on seed management pattern among the tribal farmers of Northern Hills Agro- Climatic Zone of Chhattisgarh state"** con i seguenti obiettivi specifici. La presente indagine è stata intrapresa per studiare i seguenti aspetti:

1. Studiare il profilo socio-economico degli agricoltori tribali,

2. Studiare il livello di conoscenza degli agricoltori sulle pratiche di gestione delle sementi,

3. Studiare le pratiche di gestione delle sementi seguite dagli agricoltori tribali nelle principali colture,

4. Studiare l'analisi del rapporto di sostituzione delle sementi delle principali colture tra gli agricoltori,

5. Scoprire i problemi che gli agricoltori devono affrontare nella gestione delle sementi e

6. Ottenere i suggerimenti degli agricoltori tribali per superare i problemi da loro affrontati.

9

CAPITOLO - 2

REVISIONE DELLA LETTERATURA

Nella ricerca, un corpus di letteratura è una raccolta di informazioni e dati pubblicati rilevanti per una domanda di ricerca. La revisione della letteratura è una parte essenziale del progetto di ricerca accademica. La revisione è un esame attento di un insieme di letteratura che punta alla risposta alla nostra domanda di ricerca. La letteratura esaminata comprende in genere riviste scientifiche, libri scientifici, banche dati autorevoli e fonti primarie. A volte include giornali, riviste, altri libri, film, cassette audio e video e altre fonti secondarie. Lo scopo principale della rassegna bibliografica è quello di presentare alcuni dei risultati di studi di ricerca relativi ai modelli di gestione delle sementi tra le diverse colture e altri lavori rilevanti condotti in India e all'estero.

Un breve resoconto degli studi correlati è stato fornito sotto le seguenti voci:

2.1 Caratteristiche socio-personali

2.2 Caratteristiche socioeconomiche

2.3 Caratteristiche comunicative

2.4 Cosmopolitica

2.5 Partecipazione di genere

2.6 Disponibilità di sementi

2.7 Fonte del seme

2.8 Modello di gestione delle sementi

2.9 Sostituzione del seme

2.10 Conservazione dei semi

2.1 Caratteristiche socio-personali

2.1.1 Età degli agricoltori

Ensermu *et al.* (1998) hanno riscontrato che i gruppi di agricoltori di mezza età dominano la popolazione agricola perché i più giovani non possono acquistare la terra. Esistono poche opportunità di lavoro extra-agricolo. La proprietà fondiaria media nell'area di studio è in generale di circa 17 timmad (1 timmad = 0,25 ha), con variazioni significative da località a località.

Oyekale e Idjesa (2009) hanno riportato che il 21,3% degli intervistati aveva un'età compresa tra i 20 e i 39 anni, il 58% degli intervistati aveva un'età compresa tra i 40 e i 59 anni, mentre il 20,7% degli intervistati aveva più di 60 anni. L'età media degli agricoltori è di circa 48 anni,

Bishaw et al. (2010) hanno rilevato che l'età media del capofamiglia era di 41 anni, con un range che andava dai 18 agli 81 anni. Più della metà degli agricoltori aveva un'età inferiore alla media, il che indica il coinvolgimento delle giovani generazioni nell'agricoltura. Solo il 7% aveva più di 65 anni e spesso era assistito dai figli.

Adetumbi et al. (2010) hanno rilevato che la maggior parte degli intervistati (82,90%) aveva un'età compresa tra i 41 e i 60 anni, mentre il 17,10% aveva un'età compresa tra i 21 e i 40 anni, con un'età media di 49,8 anni. Tutti i commercianti di sementi sono istruiti, con la maggioranza (72,40%) che ha letto fino al livello terziario di istruzione formale.

Smale et al. (2011) hanno osservato che nel caso dell'adozione di varietà di sementi moderne nel riso, una ragione plausibile potrebbe essere che i nostri agricoltori intervistati avevano un'età media di 43 anni.

Ghimire et al. (2012) hanno riportato che l'età dell'agricoltore è correlata positivamente all'adozione di una nuova varietà ma negativamente a quella di una vecchia varietà, suggerendo che con l'avanzare dell'età gli agricoltori sono più propensi ad adottare una nuova varietà di sementi. Questo è diverso dai risultati convenzionali/attesi.

2.1.2 Istruzione

Ensermu et al. (1998) hanno individuato che la conoscenza delle nuove varietà di grano da parte degli agricoltori era influenzata anche da caratteristiche quali l'età, il livello di alfabetizzazione (istruzione), il contatto con fonti di informazione (ad esempio, l'estensione) nell'anno precedente l'indagine, il fatto di essere un agricoltore di contatto per l'estensione e la vicinanza a una fonte formale di sementi. Alcune di queste variabili hanno anche influenzato significativamente l'adozione di nuove varietà.

Oyekale et al. (2009) hanno osservato che il 26,7% e il 28,7% degli intervistati non aveva un'istruzione formale e l'istruzione primaria, rispettivamente, mentre il 28% e il 16,7% degli intervistati aveva un'istruzione secondaria e terziaria, rispettivamente. L'anno medio di istruzione formale è di 8 anni, con un indice di variabilità dell'87,5%.

Bishaw et al. (2010) hanno riportato che gli agricoltori analfabeti erano il 49%, mentre il 36% sapeva leggere e scrivere. Quelli con un'istruzione formale (dalle elementari alle superiori) erano il 15%, il che può contribuire all'adozione di nuove tecnologie agricole.

Tura et al. (2010) hanno documentato che il livello di istruzione delle famiglie contadine è direttamente associato e influenza in modo significativo l'adozione di varietà migliorate. Il 50% delle famiglie contadine alfabetizzate continua ad adottare la tecnologia, mentre il 20% delle famiglie analfabete adotta la tecnologia per la gestione delle sementi.

11

Adetumbi *et al.* (2010) hanno riscontrato che tutti i commercianti di sementi sono istruiti, con la maggioranza (72,40%) che ha letto fino al livello terziario di istruzione formale.

Ghimire *et al.* (2012) hanno rilevato che lo stato di istruzione, sebbene non significativo, era negativo per gli analfabeti e positivo per gli alfabetizzati, suggerendo che gli agricoltori istruiti sono più propensi ad adottare una nuova varietà di sementi, in quanto l'istruzione li aiuta a comprendere e a utilizzare informazioni nuove/aggiornate per massimizzare la resa.

Beshir e Bedru (2013) hanno rilevato che l'istruzione dovrebbe influenzare positivamente l'adozione di varietà migliorate, poiché ci si aspetta che una persona istruita cerchi, analizzi e utilizzi le informazioni su una nuova tecnologia. La percentuale media di famiglie agricole che accedono alle sementi da fonti informali nei due anni (2009 e 2010) è stata dell'88% tra gli analfabeti e del 78% tra gli agricoltori alfabetizzati.

2.1.3 Esperienza agricola

Oyekale *et al.* (2009) hanno riscontrato che il 47,3% degli intervistati aveva un'esperienza in agricoltura compresa tra 1 e 15 anni (cioè di base e). Mentre il 52,7% aveva più di 16 anni di esperienza. La media degli anni di esperienza agricola è di 20 anni, con un indice di variabilità del 75%.

Adetumbi *et al.* (2010) hanno rilevato che la maggior parte dei commercianti di sementi è impegnata nella commercializzazione delle sementi come fonte secondaria di reddito, con una media di anni di esperienza nel settore stimata in 13,55 anni.

Bhandari *et al.* (2014) hanno riportato che la maggioranza (75%) degli agricoltori ha sperimentato la perdita di sementi almeno una volta negli ultimi 10 anni. Più del 40% degli agricoltori ha dichiarato di non essere riuscito a conservare le sementi di sorgo per più di due stagioni colturali. Hanno ottenuto le sementi da parenti, mercati locali, programmi di assistenza, ecc. quando non hanno potuto conservare le proprie sementi.

2.1.4 Dimensione della famiglia

Bishaw *et al.* (2010) hanno rilevato che circa il 93% degli agricoltori era sposato, con una media di 5 figli e un rapporto femmine/maschi vicino a 1:1. I figli hanno contribuito in modo significativo al lavoro agricolo e sono stati considerati un'assicurazione per il benessere della famiglia in età avanzata. I bambini contribuiscono in modo significativo al lavoro agricolo e sono considerati un'assicurazione per il benessere della famiglia in età avanzata.

Kumar e Rathod (2013) hanno riportato che la maggior parte degli intervistati (60,67%) è stata osservata in una famiglia di medie dimensioni, ovvero da 4 a 9 membri, seguita dal 24,66% di intervistati nella categoria delle famiglie numerose.

2.1.5 Partecipazione sociale

Kumar (1993) ha sostenuto che la partecipazione sociale era significativamente correlata al cambiamento delle competenze con un effetto diretto sostanziale. È stato inoltre riportato che la partecipazione sociale ha un'associazione significativa con il cambiamento delle conoscenze nel caso degli agricoltori progressisti del gruppo non partecipante.

Kumari (2001) ha riportato che la partecipazione di uomini e donne alle attività di produzione vegetale e di allevamento era quasi uguale, rispettivamente 32,2% e 36,76%. Yadav (2006) ha riportato che la maggior parte degli intervistati era coinvolta come membro di un'organizzazione sociale.

Dubey (2008) ha riportato che il numero massimo di intervistati (46,92%) ha aderito a un'organizzazione, seguito dal 34,62% degli intervistati che non ha aderito ad alcuna organizzazione, mentre l'11,53% degli intervistati ha aderito a più di un'organizzazione. Solo il 6,93% degli intervistati apparteneva alla categoria dei dirigenti.

2.1.6 Partecipazione all'estensione

Tiwari et al. (2007) hanno riscontrato che la maggioranza (54,88%) dei coltivatori di piselli aveva una bassa partecipazione all'estensione e il 34,14% una media, mentre il 10,98% dei coltivatori di piselli aveva un'alta partecipazione all'estensione. La partecipazione alle attività di divulgazione mostra un'associazione positiva e significativa con il livello di adozione degli agricoltori.

Shakya et al. (2008) hanno rivelato che la partecipazione all'attività di divulgazione è correlata in modo positivo e significativo con la conoscenza della tecnologia di produzione del cece.

Jangid et al. (2010) hanno rivelato che la partecipazione all'attività di divulgazione è associata in modo positivo e significativo alle esigenze di formazione dei coltivatori di piselli in merito alle tecnologie di produzione migliorate. Ciò significa che la partecipazione dei coltivatori di piselli all'attività di divulgazione esercita un'influenza altamente significativa sulle loro esigenze di formazione in merito alle tecnologie di produzione dei piselli.

Singh et al. (2012) hanno rivelato che la partecipazione alla divulgazione ha un'associazione significativa con il livello di conoscenza e il grado di adozione da parte dei coltivatori di fagioli tignosi.

2.2 Caratteristiche socioeconomiche

2.2.1 Proprietà terriera

Ensermu et al. (1998) hanno studiato che i piccoli proprietari coltivano l'82% della superficie a grano

13

e rappresentano il 76% della produzione di grano (Adugna Haile, Workneh Negatu e Bisrat Retu 1991). Le pratiche di gestione del grano da parte degli agricoltori sono avanzate rispetto ad altre aree di coltivazione del grano, soprattutto perché la zona ha beneficiato di oltre due decenni di sforzi sostenuti per diffondere tecnologie agricole migliorate.

Gamba *et al.* (1999) hanno riportato che il 67% dei piccoli agricoltori e il 68% di quelli su larga scala non hanno adottato nuove varietà a causa, rispettivamente, del prezzo elevato delle sementi e della mancanza di disponibilità delle stesse.

Sahlu *et al.* (2000) hanno individuato che circa il 60-70% delle sementi utilizzate dai piccoli agricoltori etiopi viene risparmiato in azienda, mentre il restante 20-30% viene preso in prestito o acquistato localmente. La quota di sementi migliorate è solo del 10% circa.

Bishaw *et al.* (2008) hanno rilevato che la maggior parte degli agricoltori degli altopiani settentrionali e centrali possiede superfici ancora più piccole e coltiva colture e varietà diverse. L'uso di sementi migliorate è a livelli molto bassi. Nel 2002, le sementi migliorate erano utilizzate in meno del 3% della superficie totale coltivata. L'Ethiopian Seed Enterprise (ESE), un'impresa pubblica che è il principale fornitore di sementi del Paese, fornisce meno di 20.000 tonnellate di sementi all'anno.

Bishaw *et al.* (2010) hanno rilevato che la maggior parte degli agricoltori coltivava semi di due (24%), tre (27%) o quattro (28%) colture, che insieme costituivano il 79%, mentre coloro che coltivavano una sola coltura (grano) rappresentavano meno del 4%. Va notato, tuttavia, che i piccoli agricoltori, producendo molti semi di colture diverse, hanno dovuto affrontare gravi vincoli di allocazione delle risorse e di manodopera per applicare pratiche di gestione ottimali per ottenere il massimo rendimento da una singola coltura.

Tura *et al.* (2010) hanno osservato che quanto più grande è la dimensione dell'azienda agricola, tanto più contribuisce all'adozione di varietà migliorate.

Ghimire *et al.* (2012) hanno individuato che le proprietà terriere totali degli agricoltori sono sempre un buon indicatore del loro status economico. La proporzione di terra totale assegnata a una specifica coltura indica l'importanza che l'agricoltore attribuisce a quella coltura rispetto alle altre. Questa variabile indica anche indirettamente il ruolo di una particolare coltura nel benessere degli agricoltori. I risultati relativi alla percentuale di terra destinata al grano sono risultati significativi, ma hanno avuto un'influenza opposta sull'adozione della varietà di sementi.

Beshir e Bedru (2013) hanno riscontrato che le dimensioni del nucleo familiare dovrebbero influenzare positivamente l'adozione di varietà migliorate, fornendo manodopera per la gestione intensiva necessaria per accompagnare le varietà migliorate.

14

2.2.2 Occupazione

Diaz *et al.* (1994) hanno rilevato che nella loro area di indagine, su 225 famiglie, il 60% è costituito da agricoltori e il 40% da senza terra.

Patel (2008) ha osservato che il maggior numero di intervistati (52,00%) si dedica all'agricoltura, seguita da agricoltura + lavoro (14,00%), agricoltura + servizi (12,66%), agricoltura + allevamento + servizi (7,34%) agricoltura + altri (8,00%) e agricoltura + occupazione + servizi (6,00%), rispettivamente come occupazione principale.

Naruka *et al.* (2010) hanno rivelato che il divario tecnologico di tutte le categorie di intervistati è risultato negativamente e significativamente correlato alle variabili indipendenti, ossia il livello di conoscenza, l'istruzione, la partecipazione sociale, l'occupazione, ecc.

2.2.3 Impianto di irrigazione

Diaz *et al.* (1994) hanno riferito che nella loro area di indagine il 25% degli agricoltori con pompe di irrigazione private coltiva due colture di riso. Pochi altri coltivano alcune colture vegetali.

Mukim (2004) ha riscontrato che la copertura più alta dell'area irrigata è stata ottenuta tramite pozzi tubolari (42,19%), seguiti da canali e pozzi (32,81%). Il canale più il pozzo tubolare e lo stagno hanno contribuito rispettivamente al 23,44 e all'1,56% dell'area irrigata.

Thanh e Singh (2006) hanno riferito che, grazie al vantaggio delle condizioni naturali, il 100% degli agricoltori vietnamiti ha utilizzato i canali come fonte principale di irrigazione; per gli intervistati indiani, invece, si tratta di uno dei principali vincoli alla produzione: più della metà di loro ha utilizzato pozzi tubolari (66,00%), seguiti da canali (22,00%), piogge (10,00%) e pozzi (2,00%).

2.2.4 Fonte di reddito

Stroud e Mekuria (1992) hanno rilevato che il lavoro extra-agricolo e la generazione di reddito da parte del capofamiglia sono bassi rispetto ad altri Paesi africani.

Bishaw *et al.* (2010) hanno riscontrato che l'agricoltura è la principale fonte di reddito per tutti gli agricoltori e che le opportunità di generare reddito al di fuori dell'azienda agricola sono limitate, così come le opportunità di lavoro occasionale durante la semina, la sarchiatura e il raccolto.

2.2.5 Acquisizione del credito

Lyon e Danquah (1998) hanno riferito che gli agricoltori del Ghana hanno trovato scomode, lunghe e restrittive le procedure di credito per l'acquisto di sementi commerciali.

Benteley e Vasques (1998) hanno osservato che la mancanza di conoscenza dei servizi di credito da parte degli agricoltori rappresenta un ostacolo, in particolare per i piccoli agricoltori della Bolivia.

Queste situazioni devono essere migliorate per incoraggiare gli agricoltori a utilizzare le strutture di credito messe a disposizione dal governo.

Ensermu *et al.* (1998) hanno riscontrato che gli agricoltori si affidano principalmente alle vendite dei raccolti e del bestiame per ottenere il denaro necessario all'acquisto di nuove sementi di grano. Il credito non è una fonte importante di fondi per le nuove sementi. Tuttavia, nel 1995/96, il MOA ha distribuito "sementi certificate" a credito a un numero limitato di agricoltori per 226,5 Birr/q, con un anticipo del 25% al momento dell'acquisto.

Bishaw (2004) ha rilevato che la domanda di sementi e l'accesso ai servizi di credito durante l'indagine sul campo gli agricoltori hanno citato i prezzi elevati delle sementi, la mancanza di accesso alle strutture di credito e la mancanza di disponibilità di sementi come i principali vincoli che li scoraggiano dall'utilizzare sementi commerciali di grano e orzo provenienti dal settore formale.

2.3 Caratteristiche comunicative

2.3.1 Fonte delle informazioni

Tripp e Pal (1998) hanno rilevato che gli agricoltori hanno utilizzato diverse fonti di informazione, in particolare la propria esperienza, le discussioni e le osservazioni con altri agricoltori e i consigli dei commercianti di sementi. Gli agricoltori stanno gradualmente costruendo un quadro più completo dei vantaggi e degli svantaggi delle varietà ibride e iniziano a distinguere tra alcuni ibridi.

Ensermu *et al.* (1998) hanno rilevato che le fonti di informazione degli agricoltori sulle nuove varietà di grano erano altri agricoltori (63%), agenti di divulgazione (25%) e rivenditori di sementi (8%). La conoscenza delle nuove varietà di grano da parte degli agricoltori è stata influenzata anche da caratteristiche quali l'età, il livello di alfabetizzazione (istruzione) e i contatti con le fonti di informazione (ad esempio, gli agenti di divulgazione).

Bishaw (2004) ha osservato che gli agricoltori utilizzano molteplici fonti di informazione, come quelle formali (servizi di divulgazione, agenzie di sviluppo, istituti di ricerca, media) o informali (esperienza personale, parenti, vicini, altri agricoltori, commercianti locali) per acquisire conoscenze sulle varietà e/o sui pacchetti agronomici per la produzione di colture. La maggior parte dei coltivatori di grano (oltre il 90%) conosce e possiede informazioni sulle varietà moderne, sugli input agrochimici (fertilizzanti, erbicidi, ecc.) e sui pacchetti agronomici.

Tripp (2006) ha rilevato che gli agricoltori dell'area di studio ottenevano le informazioni da un agricoltore per il 78%, il 16% da una ONG per il 5% e un altro.

Verma e Sidhu (2009) hanno studiato che il 49% degli agricoltori aveva contatti con diverse agenzie di sementi come PAU, Dipartimento statale dell'Agricoltura, ecc. Oltre che per le sementi, gli agricoltori visitavano queste agenzie per ottenere le ultime conoscenze sulle nuove varietà di diverse colture e su altre pratiche agricole.

Ghimire *et al.* (2012) hanno riscontrato che l'esposizione degli agricoltori a diverse fonti di informazioni sull'agricoltura è sempre cruciale nell'influenzare le loro decisioni e gioca un ruolo dominante nell'adozione di una nuova tecnologia. Maggiore è il numero di fonti di informazione a cui un agricoltore accede, maggiore è l'impatto sulle sue conoscenze e sul suo adattamento, con conseguente impatto positivo sull'adozione di una nuova varietà di sementi.

2.4 Cosmopoliti

Panicker e Chaudhari (2000) hanno osservato che il bisogno di formazione aumenta con l'aumentare della cosmopoliticità, perché con l'aumentare della cosmopoliticità aumenta l'esposizione al morden e alle tecniche più aggiornate e quindi aumenta la consapevolezza e il bisogno di formazione nelle pratiche del morden.

Shrivatava e Lakhera (2003) hanno rivelato che le variabili istruzione, casta, partecipazione sociale, dimensione della famiglia, reddito annuo, innovatività, cosmopolitismo, opinione sulla tecnologia di produzione dei funghi, contatto con scienziati agricoli, contatto con specialisti della materia ed esposizione ai mass media sono risultate correlate positivamente e significativamente con la conoscenza. Prasad e Ola (2004) hanno rivelato che l'istruzione, la cosmopolitica e la motivazione economica contribuiscono alla percezione della formazione delle donne rurali nelle attività agricole.

Sahu (2006) ha rivelato che il maggior numero di intervistati (agricoltori e donne) apparteneva alla categoria media di cosmopolitismo.

2.5 Partecipazione di genere

Asamenew *et al.* (1993) hanno riferito che in genere gli uomini hanno la responsabilità generale e contribuiscono a tutte le operazioni agricole, mentre le donne e i bambini contribuiscono alla sarchiatura, al raccolto, alla trebbiatura e al trasporto del grano.

Bajracharya (1994) ha riferito che le donne hanno svolto un ruolo fondamentale nella conservazione delle sementi in Nepal. Le donne hanno svolto un ruolo importante anche nella gestione delle sementi all'interno dell'azienda agricola, come la selezione delle colture, la selezione delle sementi e l'analisi dei risultati.

Diaz *et al.* (1994) hanno osservato che il 30% delle donne ha la responsabilità principale della pulizia e della conservazione dei semi. Gli uomini si occupano della rimozione dei semi (rouging) e dell'estirpazione delle erbacce nei campi. Altre attività come la flottazione, l'essiccazione e lo stoccaggio sono svolte congiuntamente da uomini e donne (33%).

Benteley e Vasques (1998) hanno osservato che la responsabilità di gestire ed eseguire queste operazioni nell'azienda agricola è condivisa tra uomini e donne, che hanno un ruolo distintivo da

17

svolgere. Allo stesso modo, le donne svolgono un ruolo importante nella gestione e nella commercializzazione dei semi di patata all'interno dell'azienda agricola nella regione andina.

Oyekale *et al.* (2009) hanno rilevato che il 48,7% degli intervistati era di sesso maschile, mentre il 51,3% era di sesso femminile. Ciò non corrisponde all'aspettativa che gli uomini dominino la produzione agricola in alcuni Stati nigeriani, perché le donne rappresentano il 60% della forza lavoro agricola africana.

Adetumbi *et al.* (2010) hanno identificato la distribuzione degli intervistati in base alle loro caratteristiche socioeconomiche e hanno indicato che la commercializzazione delle sementi è dominata dagli uomini, con circa il 91% dei commercianti maschi, mentre le donne costituiscono circa il 9%.

Bishaw *et al.* (2010) hanno riscontrato che la responsabilità era condivisa tra uomini e donne. La percezione positiva delle sementi da parte degli agricoltori li ha spinti a praticare diversi approcci gestionali per mantenere la qualità delle loro sementi di grano attraverso la selezione in azienda (67%), la pulizia (83%), il trattamento chimico (4%), lo stoccaggio separato (65%) o la valutazione informale della qualità delle sementi (34%).

Mgonja (2011) ha individuato che nel sistema informale delle sementi, le donne svolgono un ruolo chiave nella gestione delle sementi che comprende la selezione, la pulizia, il condizionamento, la conservazione, la condivisione e l'uso. È quindi indispensabile notare che le strategie e gli interventi per migliorare la catena di valore del "sistema delle sementi" devono coinvolgere le donne.

Magili (2008) ha riconosciuto che le donne hanno la loro forza nel mantenere la sicurezza alimentare delle famiglie, promuovendo le varietà locali. D'altra parte, gli uomini hanno un ruolo importante nella gestione delle sementi delle varietà commerciabili.

Beshir e Bedru (2013) hanno riscontrato che, per quanto riguarda il genere del capofamiglia, ci si aspetta che i capifamiglia maschi abbiano un migliore accesso alle informazioni, in quanto si suppone che abbiano maggiori reti sociali, che a loro volta influenzano positivamente le decisioni di adozione di varietà migliorate rispetto ai capifamiglia femmine. Una percentuale maggiore (dal 35 al 47%) di famiglie con capofamiglia donna si è assicurata le sementi rispetto alle famiglie con capofamiglia uomo (dal 25 al 28%).

2.6. Fonti di semi

Tetley *et al. f1991*) hanno individuato che i coltivatori di cereali nei Paesi in via di sviluppo hanno spesso tre fonti principali di sementi: le sementi acquistate da un'industria sementiera formale, le sementi ottenute da altri agricoltori e le sementi autoprodotte dal raccolto dell'anno precedente.

Sperling e Loevinsohn (1993) hanno rilevato che l'agricoltore accede alle sementi da diverse fonti che possono essere classificate come formali e informali. Nell'analisi del sistema sementiero informale è stata sottolineata l'importanza dello scambio di semi da agricoltore a agricoltore nell'accesso alle sementi basato sul sostegno reciproco di parenti e vicini.

Diaz *et al.* (1994) hanno rilevato che il 62,5% del campione totale dell'indagine ha ottenuto i semi dal proprio raccolto e il 13% ha utilizzato semi certificati provenienti dal mercato.

Ensermu *et al.* (1998) hanno studiato che il 76% degli agricoltori ha piantato grano in almeno uno dei propri appezzamenti e ha usato il 13% di sementi in più rispetto a quelle raccomandate. Questi alti tassi di semina possono riflettere l'impurità o la limitata capacità germinativa del seme. Gli agricoltori avevano conservato la maggior parte delle sementi del raccolto precedente. Solo il 2% delle sementi è stato acquistato da ESE, che nel 1994 ha venduto solo K6295-4A.

Sahlu *et al.* (2000) hanno rilevato che circa il 60-70% delle sementi utilizzate dai piccoli agricoltori etiopi viene risparmiato in azienda, mentre il restante 20-30% viene preso in prestito o acquistato localmente. La quota di sementi migliorate è solo del 10% circa.

Bishaw (2004) ha osservato che gli agricoltori si sono riforniti da altre fonti informali grazie alla disponibilità tempestiva, ai costi di transazione ridotti o nulli o alla mancanza di strutture di credito, alle varietà adattabili e alle sementi certificate. Lo scambio informale di sementi tra agricoltori è stata la principale fonte iniziale di varietà di grano e orzo e di sementi utilizzate per la semina annuale.

Tripp (2006) ha studiato che la maggior parte degli agricoltori ha dichiarato di aver acquistato le sementi per rifornire le proprie scorte, piuttosto che per provare una nuova varietà. Circa il 90% degli acquirenti ha dichiarato che acquisterebbe nuovamente piccole confezioni di semi di fagiolo. Risposte simili si sono avute in Kenya: L'80% degli agricoltori ha dichiarato che sarebbe disposto a pagare il doppio del prezzo del grano per ottenere semi freschi di una MV di pisello che stavano utilizzando e il 42% ha dichiarato che comprerebbe semi nuovi ogni anno, se ne avesse l'opportunità.

Joshi *et al.* (2007) hanno evidenziato che oltre l'80% delle sementi in India e nei Paesi dell'Asia meridionale viene conservato dagli agricoltori, soprattutto per le colture ad autoimpollinazione come il grano. Questo dato è influenzato anche dalla scarsa disponibilità di nuove varietà di sementi a causa della debolezza della distribuzione delle sementi e dei collegamenti.

Smale *et al.* (2007) hanno studiato che le differenze di genere nelle conoscenze e nelle competenze locali in materia di sementi sono una risorsa importante per rafforzare i legami tra i sistemi sementieri locali e quelli formali.

Guire *et al.* (2008) hanno riscontrato che le norme sullo scambio di sementi tra agricoltori si stanno evolvendo. Varia da una società all'altra, dove lo scambio di sementi su base commerciale è sempre più importante, anche per le colture di sussistenza come il sorgo.

Verma e Sidhu (2009) hanno rilevato che i semi erano facilmente disponibili presso i rivenditori privati di sementi (48%). D'altra parte, le fonti istituzionali non potevano vendere tali sementi. La seconda importante fonte di sementi è stata quella delle sementi autoprodotte.

Sperling e Guire (2010) hanno osservato che gli agricoltori si rivolgono alle fonti informali di sementi, come il mercato informale delle sementi, in modo strategico. Identificano particolari varietà in base ai loro nomi, ai tratti e alle aree di adattamento.

Adetumbi *et al.* (2010) hanno riscontrato che le sementi vengono acquistate da fonti certificate e trattate correttamente per garantire la fornitura di semi sani agli agricoltori. Le sementi di colture alimentari sono state acquistate principalmente da istituti di ricerca (mais 73,68%, cowpea 46,05%, soia 27,63%), mentre le sementi di ortaggi sono state acquistate principalmente da ditte sementiere private e da aziende agricole personali dei commercianti di sementi (36,24%), il che dimostra la scarsa attenzione delle agenzie sementiere governative per questa categoria di colture. Inoltre, anche le sementi di mais sono state reperite da aziende agricole personali dei commercianti di sementi (53,95%), da ADP (46,05%), da aziende sementiere private (46,05%) e dal mercato aperto (27,63%). Risultati simili sono stati osservati per il cowpea.

Bishaw *et al.* (2010) hanno riscontrato che il settore informale è stato una fonte iniziale di varietà di grano moderne per il 58% degli agricoltori, attraverso vicini o altri agricoltori (36%), parenti (7%) o commercio locale (15%). Inoltre, la maggior parte degli agricoltori si è rifornita di sementi di grano in modo informale: il 79% ha utilizzato sementi conservate o reperite fuori dall'azienda agricola da vicini (9%) e da commercianti o mercati locali (3%) per piantare il grano durante l'anno di indagine.

Mgonja (2011) ha rilevato che il numero di agricoltori nell'Africa sub-sahariana che acquistano varietà di sementi ad alto rendimento da istituzioni formali come organizzazioni parastatali di sementi e aziende private di sementi, varia dal 5 al 10%, e si tratta principalmente di agricoltori con un reddito elevato. Ciò è dovuto al fatto che una grande percentuale di agricoltori utilizza le proprie scorte di sementi o quelle ottenute da altri agricoltori della propria comunità.

Ghimire *et al.* (2012) hanno individuato la necessità di sviluppare un canale adeguato o un sistema di consegna delle sementi. I risultati hanno evidenziato che le vecchie varietà sono per lo più consegnate attraverso il canale del mercato, il che significa che anche i commercianti dovrebbero essere informati sulle nuove varietà e i servizi di divulgazione dovrebbero essere rafforzati.

Esaff (2013) ha rilevato che esiste un grande divario tra ciò che viene prodotto dal sistema sementiero formale e ciò che viene messo a disposizione degli agricoltori. È quindi vero che gli agricoltori utilizzano maggiormente le sementi provenienti dal settore informale. Sicuramente la maggior parte delle sementi è costituita da sementi di agricoltori. Ciò implica che gli agricoltori utilizzano soprattutto materiali locali o varietà migliorate riciclate.

Beye e Marco (2014) hanno rilevato che le sementi risparmiate dagli agricoltori e lo scambio di sementi tra agricoltori rimarranno la fonte primaria di approvvigionamento di sementi per la maggior parte degli agricoltori per molti anni.

Bhandari *et al.* (2014) hanno riportato che la maggior parte degli agricoltori (87%) mantiene le proprie sementi. Tuttavia, una famiglia ha sempre più fonti di sementi. La maggior parte delle famiglie (56%) dipende dal mercato locale dei cereali per le sementi di sorgo, seguita dall'acquisto da parenti (22%). Più del 31% degli agricoltori ha acquistato nuove varietà di sorgo dai servizi di divulgazione governativi e il 27% dai mercati locali.

2.7 Disponibilità di sementi

Gamba *et al.* (1999) hanno riportato che il 21% dei piccoli agricoltori e il 63% dei grandi agricoltori percorrevano più di 10 km per acquistare le sementi.

Gemeda *et al.* (2001) hanno rilevato che alcuni coltivatori di mais percorrevano almeno 10 km o più per ottenere sementi migliorate, anche se c'erano differenze tra i vari distretti. Il prezzo elevato delle sementi e la mancanza di sementi sono stati i due principali vincoli che hanno spinto gli agricoltori a non utilizzare le sementi del settore formale.

Bishaw (2010) ha rilevato che la distanza percorsa per acquistare sementi certificate era compresa tra 0 e 15 km (il 14% oltre i 10 km) e che la maggior parte delle transazioni si basava su crediti concessi dal governo. Ciò indica il forte interesse degli agricoltori a investire il loro tempo per procurarsi le sementi di grano in situazioni in cui le infrastrutture rurali erano molto scarse.

2.8 Pratiche di gestione delle sementi

Badebo e Lindeman (1987) hanno riscontrato un alto livello di contaminazione da infestanti nelle sementi degli agricoltori, fino a 700 semi di infestanti *nocive/kg* di sementi nella regione di Arsi.

Diaz *et al.* (1994) hanno rilevato che il deterioramento del vigore dei semi nelle colture di riso è responsabile del 20% della perdita di resa. Pertanto, la conoscenza delle pratiche di gestione delle sementi da parte degli agricoltori è essenziale per lo sviluppo di tecnologie di gestione delle sementi sul campo.

Hailye *et al.* (1998) hanno osservato che gli agricoltori utilizzano per definire la qualità delle sementi l'assenza di impurità, di malattie e l'adattamento all'ambiente locale La percezione positiva delle sementi da parte degli agricoltori li ha spinti ad adottare approcci specifici di gestione delle sementi per mantenere la qualità delle loro sementi di grano attraverso la selezione, la pulizia, il trattamento, lo stoccaggio o la valutazione *diretta/indiretta* della qualità delle sementi.

Rogers (2003) ha rilevato che un altro fattore importante citato dagli agricoltori come vincolo è la mancanza di credito. In parte a causa dei problemi di insolvenza, gli agricoltori hanno trovato sempre più difficile ottenere credito da fonti ufficiali.

Sahlu *et al.* (2008) hanno riferito che la fornitura di sementi certificate è ostacolata dagli alti costi di produzione delle sementi dovuti al costo della manodopera, alle costose infrastrutture, alla certificazione, alla lavorazione e alla logistica di distribuzione che gonfiano i prezzi delle sementi.

Verma e Sidhu (2009) hanno riferito che le perdite di stoccaggio delle sementi di risone sono trascurabili, mentre le perdite prima e dopo lo stoccaggio sono quasi inesistenti. Solo il 2% circa degli agricoltori ha prestato attenzione al raccolto nel periodo pre-stoccaggio e l'1% circa nel periodo post-stoccaggio.

Tura *et al.* (2010) hanno osservato che la maggior parte degli agricoltori (61,5%) ha individuato nel prezzo elevato delle sementi e dei fertilizzanti le ragioni dell'abbandono dell'attività agricola, principalmente a causa della mancanza di risorse finanziarie. Poiché i prezzi delle sementi e dei fertilizzanti sono le componenti principali dei costi di produzione, un aumento dei costi degli input può rendere le attività agricole non redditizie; ciò è in linea con la teoria del disincanto del disadattamento.

Bishaw (2010) ha rilevato che la percezione positiva delle sementi da parte degli agricoltori li ha spinti a praticare diversi approcci gestionali per mantenere la qualità delle loro sementi di grano attraverso la selezione in azienda (67%), la pulizia (83%), il trattamento chimico (4%), lo stoccaggio separato (65%) o la valutazione informale della qualità delle sementi (34%).

Adetumbi e Olakojo (2010) hanno riferito che il deterioramento delle sementi è inevitabile, ma il tasso può essere ridotto quando si presta la massima attenzione alla temperatura e all'umidità di stoccaggio. La maggior parte degli addetti alla manipolazione delle sementi deve essere formata più regolarmente sulle tecniche di manipolazione delle sementi che ridurranno il tasso di deterioramento delle stesse.

Bishaw *et al.* (2010) hanno riscontrato che il 92% degli agricoltori riconosce la differenza tra granella e seme e alcuni di loro la traducono in purezza da sostanze inerti e assenza di erbe infestanti (18%), seme intatto con buona germinazione (18%), grandi dimensioni del chicco (12%), assenza di malattie o danni da insetti (10%) e assenza di mescolanza con semi di altre varietà della stessa coltura (3,3%).

2.9 Sostituzione del seme

Bishaw *et al.* (1994) hanno rilevato che il 21% dei coltivatori di grano ha conservato le sementi per 6-10 anni e il 14% per 11-15 anni. I problemi principali sono associati alla riduzione della resa e alla perdita di resistenza alle malattie. Circa il 91% degli agricoltori ha dichiarato di sostituire le vecchie varietà con quelle nuove solo se queste ultime hanno una resa maggiore.

Diaz *et al.* (1994) hanno riscontrato che il passaggio a nuove sementi da parte degli agricoltori determina la loro preoccupazione di mantenere una buona qualità delle sementi per una particolare stagione colturale. Circa il 40% degli agricoltori cambia le sementi ogni anno e il 33% ogni due anni. Gli agricoltori cambiano le sementi frequentemente: per aumentare la resa (64,6%) e per aumentare la resistenza a parassiti e malattie (27,7%).

Ensermu *et al.* (1998) hanno rilevato che le varietà di grano variano da meno di quattro anni nella Yaqui Valley in Messico a oltre 10 anni nel Punjab in Pakistan, con una media globale di sette anni. Il lento ricambio varietale nel Chilalo Awraja riflette un'industria sementiera poco sviluppata e servizi di divulgazione inefficaci, che a loro volta spiegano perché lo scambio di sementi da agricoltore a agricoltore è la pratica comune nell'area di studio e in Etiopia in generale.

Almekinders e Louwaars (1999) hanno rilevato che il sistema informale delle sementi, la produzione e lo scambio di sementi sono ampiamente integrati nella produzione agricola e nei processi socio-economici degli agricoltori.

Kapoor (2006) ha rilevato che il periodo di rinnovo delle sementi raccomandato dalla Commissione nazionale per l'agricoltura (1976) è di quattro anni per il risone. L'SRR nella maggior parte delle colture è inferiore al livello scientificamente auspicabile del 25% per quanto riguarda le colture autoimpollinate.

Sperling (2008) ha rilevato che le norme dello scambio di sementi tra agricoltori si stanno evolvendo. Varia da una società all'altra, dove lo scambio di sementi su base commerciale è sempre più importante, anche per le colture di sussistenza come il sorgo.

Verma e Sidhu (2009) hanno riportato che il valore complessivo del SRR è risultato pari al 24,05%. L'analisi per categoria di azienda agricola ha rivelato una relazione diretta tra il SRR e la dimensione dell'azienda; il valore più alto è stato registrato per i grandi agricoltori (31,5%), seguiti dai medi (21,6%) e dai piccoli (18%). Ciò è dovuto alle migliori condizioni economiche dei grandi agricoltori che possono acquistare sementi da fonti istituzionali e alla loro maggiore consapevolezza della qualità delle sementi.

Tura *et al.* (2010) hanno rilevato che i dati mostrano che solo il (7,5%) delle famiglie campione non ha mai coltivato varietà di mais migliorate. Circa il 63% delle famiglie campione utilizza i semi migliorati da quando li ha adottati per la prima volta, mentre il restante 37% ha disadottato i semi migliorati.

Di conseguenza, il tasso di adozione delle sementi di mais nell'area di studio è superiore al (92%), mentre l'abbandono è pari al (37%).

2.10 Conservazione dei semi

Kashyap e Duhan (1994) hanno studiato l'alto livello di attacchi di tonchio sui semi di grano nelle strutture di stoccaggio tradizionali, con una significativa riduzione della qualità fisiologica dei semi La maggior parte degli agricoltori ha immagazzinato i semi separatamente (65%) dalla granella e ha usato sia il controllo tradizionale che quello moderno dei parassiti prima o dopo l'infestazione. Sono state osservate diverse strutture di stoccaggio tradizionali, realizzate localmente, utilizzate per la conservazione dei cereali. La *Gotera* era la struttura di stoccaggio più comune e popolare sia per coloro che immagazzinavano sementi e cereali insieme (78%) sia separatamente (66%) e di solito veniva tenuta nel cortile di casa. Al contrario, le strutture di minore capacità, come *gota, debegnt* e *gushigush,* sono fatte esclusivamente di *legno/fango* e intonacate con sterco di vacca e possono essere tenute all'interno della casa per conservare una quantità minore di semi.

Kashyap (1994) ha riscontrato che il 34% e il 13,2% degli agricoltori utilizzava rispettivamente gotera o gota per la conservazione dei semi. La pulizia delle sementi infestate, l'essiccazione al sole o il cambio delle strutture di stoccaggio sono pratiche di gestione tradizionali comuni. Tuttavia, l'uso di prodotti chimici (di solito insetticidi di contatto) era popolare (35%-40%), anche se la disponibilità, l'uso delle dosi effettivamente raccomandate e i metodi di applicazione rimanevano problematici.

Hailye *et al.* (1998) hanno riportato che i tonchi e i roditori sono tra i più importanti problemi di conservazione dei semi nell'Etiopia nordoccidentale.

Beye *et al.* (1998) hanno riscontrato che l'80% degli agricoltori conservava le sementi separate dai cereali, ma la maggior parte (84%) le teneva in sacchi, mentre il resto delle sementi era conservato in strutture di stoccaggio locali. Tuttavia, queste strutture non sono a prova di insetti o roditori e sono stati osservati danni considerevoli sulle sementi campionate dagli agricoltori.

Tekrony (2002) ha rilevato che il tasso di deterioramento dei semi dipende principalmente dall'ambiente di conservazione e dalla qualità fisiologica dei semi.

Tripp *et al.* (2006) hanno osservato che il condizionamento delle sementi in piccole operazioni (a livello domestico) può essere fatto manualmente. Ma nella maggior parte dei casi, la sgusciatura, la pulizia, la classificazione, il trattamento e l'insaccamento dei semi richiedono l'uso di attrezzature. A seconda delle dimensioni dell'operazione di condizionamento, un'impresa può scegliere di noleggiare le attrezzature o di acquistarle. Tuttavia, il mercato del noleggio delle attrezzature esisterà solo nelle aree in cui la produzione di sementi è relativamente ben sviluppata. L'utilizzo efficiente delle attrezzature è favorito se l'azienda produce diversi tipi di sementi. L'azienda sementiera deve solitamente provvedere anche allo stoccaggio. Potrebbe essere necessario un piccolo magazzino: una tonnellata di sementi di cereali occupa circa 3 metri cubi. Le strutture di stoccaggio possono essere acquistate o affittate, a seconda delle circostanze. Se la produzione e la distribuzione delle sementi sono decentralizzate, può essere difficile individuare strutture di stoccaggio adeguate.

Verma e Sidhu (2009) hanno riportato che la maggior parte degli agricoltori (70%) ha utilizzato gli stessi bidoni metallici per lo stoccaggio. Circa il 18% degli agricoltori ha utilizzato sacchi di tela per lo stoccaggio e circa il 4% ha utilizzato fusti di olio, bidoni di metallo e sacchi di tela e tutti e tre insieme. È emerso che circa il 19 percento degli agricoltori ha applicato trattamenti chimici alle sementi di risone durante lo stoccaggio.

Adetumbi et al. (2010) hanno studiato che le sementi sono conservate in condizioni ambientali dai commercianti (90,90%), dalle agenzie sementiere e dagli ADP. Solo pochi (9,10%) dei commercianti e tutti gli istituti di ricerca (100%) hanno conservato le loro scorte di sementi in ambienti climatizzati. Ciò può essere attribuito alla necessità di un ambiente climatizzato in termini di costi energetici e di manutenzione delle strutture, soprattutto se si considera l'ulteriore vincolo costituito dall'attuale alimentazione epilettica.

CAPITOLO - 3

MATERIALI E METODI

Il capitolo tratta del metodo e della procedura seguiti nel corso del lavoro di ricerca e della preparazione del manoscritto. In questo capitolo viene delineato lo schema utilizzato per condurre l'indagine. La biforcazione della metodologia di ricerca adottata è riportata nei seguenti capitoli:

3.1 Ubicazione dell'area di studio

3.2 Campione e procedura di campionamento

3.3 Variabili dello studio

3.3.1 Variabili indipendenti

3.3.2 Variabili dipendenti

3.4 Operazionalizzazione delle variabili indipendenti e loro misurazione

3.5 Operazionalizzazione delle variabili dipendenti e loro misurazione

3.6 Tipo di dati

3.7 Elaborazione del programma di intervista

3.7.1 Validità

3.7.2 Affidabilità

3.8 Metodo di raccolta dei dati

3.9 Analisi statistica

3.1 Ubicazione dell'area di studio

Lo Stato di Chhattisgarh è suddiviso in tre zone agroclimatiche: colline settentrionali, altopiano di Baster e pianura di Chhattisgarh. Lo studio è stato condotto nel 2014-2015 nella zona agroclimatica delle colline settentrionali dello Stato di Chhattisgarh. La zona è suddivisa in cinque distretti: Surguja, Surajpur, Koria, Balrampur e Jashpur. Di questi, solo i distretti di Surguja e Surajpur sono stati selezionati in modo casuale per questo studio, poiché rientrano nella zona agroclimatica delle colline settentrionali dello Stato di Chhattisgarh.

Nelle colline settentrionali, il Surguja è situato tra 23° 37' 25" e 24° 6' 17" di latitudine nord e tra 81° 34' 40" e 84° 4' 40" di longitudine est. Rientra nella regione secca umida e subumida e ha una piovosità media annua di 1200-1300 mm. La temperatura massima raggiunge i 45°C durante l'estate e la temperatura minima è di 1°C durante la stagione invernale.

Quasi il 90% della popolazione del Surguja dipende dall'agricoltura e si dedica alla coltivazione di

26

cereali, semi oleosi, legumi, frutta e verdura. Il distretto produce principalmente riso.

Surajpur si trova tra la latitudine 23°.21' N, la longitudine 82°.85' E e l'altitudine di 527 metri. Rientra nella regione sub-umida e le precipitazioni annuali sono di 1056,8-1250 mm. La temperatura massima è di 45°C durante l'estate e la temperatura minima di 1°C durante la stagione invernale. Anche a Surajpur la maggior parte della popolazione dipende dall'agricoltura, direttamente o indirettamente.

Tabella 3.1 Area e intervistati selezionati per lo studio

Sl. No.	Distretto selezionato	Blocco selezionato	Villaggi selezionati	Numero selezionato di intervistati
1	Surguja	Ambikapur	Karji	15
			Khala	15
		Batouli	Darima	15
			Bargavan	15
2	Surajpur	Surajpur	Ajabnagar	15
			Kanakpur	15
		Bhaiyathan	Mahavirpur	15
			Udaipur	15

3.2 Campione e procedura di campionamento

3.2.1 Selezione del distretto

Lo studio è stato condotto nelle colline settentrionali, zona agroclimatica dello Stato di Chhattisgarh. Questa zona comprende 5 distretti (Surguja, Surajpur, Balrampur, Koria e Jashpur). Questo studio è stato condotto in due distretti: Surguja e Surajpur.

3.2.2 Selezione dei blocchi

In ogni distretto selezionato, sono stati scelti appositamente due isolati. Dei sette isolati totali del distretto di Surguja, solo due isolati, Ambikapur e Batouli, sono stati selezionati per questo studio, mentre dei sei isolati totali del distretto di Surajpur, solo due isolati, Surajpur e Bhaiyathan, sono stati scelti in modo casuale.

3.2.3 Selezione dei villaggi

In ogni blocco selezionato, due villaggi sono stati scelti in modo casuale, quindi per la selezione degli intervistati sono stati presi in considerazione 8 (2 x 4) villaggi (Karji, Khala, Darima, Bargavan selezionati dal distretto di Surguja e Udaipur, Mahavirpur, Kanakpur e Ajabnagar dal distretto di Surajpur). (Tabella 3.1)

3.2.4 Selezione dei rispondenti

Da ogni villaggio selezionato, 15 agricoltori tribali sono stati scelti a caso per la raccolta dei dati. In

27

totale, quindi, 120 (8x15) agricoltori tribali sono stati considerati come intervistati per il presente studio.

3.2.5 Raccolta dei dati

I dati sono stati raccolti personalmente dal ricercatore in collaborazione con i RAEO e altri funzionari del distretto, utilizzando un programma di interviste pre-testato.

3.2.6 Metodi statistici

I dati raccolti sono stati elaborati e tabulati utilizzando scale statistiche appropriate.

3.3 Variabili dello studio

3.3.1 Variabili indipendenti

Socio-personale	Socio-economico	Comunicativo	Altre variabili
Età	Proprietà terriera	Fonte delle informazioni	Partecipazione di genere alla gestione delle sementi
Istruzione	Impianto di irrigazione	Cosmopolitica	Disponibilità di sementi Fonti
Dimensione della famiglia	Occupazione		
Partecipazione sociale	Reddito annuo		
Partecipazione all'estensione	Acquisizione del credito		
Esperienza agricola			

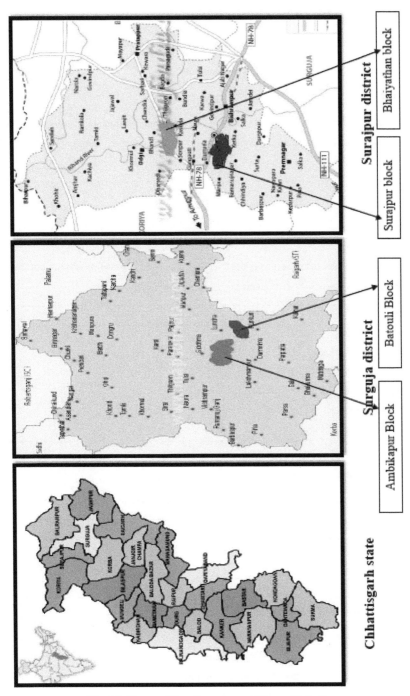

Fig. 3.1 Mappa di localizzazione dell'area di studio

29

3.3.2 Variabile dipendente: Rapporto di sostituzione delle sementi

3.4 Operativizzazione delle variabili indipendenti e loro misurazione

3.4.1 Caratteristiche socio-personali del rispondente

3.4.1. 1 Età

T è stata registrata l'età degli intervistati, come da loro comunicato durante il colloquio personale. L'età cronologica dell'intervistato è stata utilizzata per l'analisi ed è stata classificata come segue:

Categorie	Punteggio
Giovani (fino a 35 anni)	1
Medio (36-50 anni)	2
Anziani (>50 anni)	3

3.4.1. 2 Istruzione

La capacità di lettura e scrittura acquisita dagli agricoltori è stata considerata come il loro livello di istruzione ed è stata classificata come segue:

Categorie	Punteggio
Analfabeta	0
Primaria (fino alla 5a classe)	1
Medie (dalla 6a all'8a classe)	2
Scuola superiore (dalla 9a alla 10a classe)	3
Secondario superiore (11°-12° classe)	4
Laureati o di livello superiore	5

3.4.1.3 Dimensione della famiglia

In base al numero di membri della famiglia degli intervistati sono state create le seguenti categorie:

Categorie	Punteggio
Piccolo (fino a 5 membri)	1
Medio (da 6 a 10 membri)	2
Grande (>10 membri)	3

3.4.1.4 Partecipazione sociale

La partecipazione sociale degli intervistati può influenzare il loro comportamento di adozione. Attraverso la partecipazione sociale, l'agricoltore può avere l'opportunità di apprendere o esporsi a nuove idee e può essere motivato all'adozione. Il termine partecipazione sociale in questo studio si riferisce al grado di coinvolgimento degli intervistati in organizzazioni formali/informali come membri o dirigenti/portatori di cariche o entrambi. Per ogni intervistato è stato calcolato un punteggio di partecipazione sociale sulla base della sua appartenenza e della sua posizione in varie organizzazioni formali/informali. Il punteggio è stato assegnato nel modo seguente:

Categorie	Punteggio
Nessuna partecipazione sociale	0
Membro di un'organizzazione	1
Membro di più di un'organizzazione	2

3.4.1.5 Esperienza di allevamento

L'esperienza degli intervistati è stata classificata in base agli anni trascorsi nell'agricoltura (gestione delle sementi). Gli intervistati sono stati classificati come segue:

Categorie	Punteggio
Meno esperti (fino a 15 anni)	1
Mediamente esperto (16-30 anni)	2
Con un'esperienza elevata (oltre 30 anni)	3

3.4.1.6 Partecipazione all'estensione

La partecipazione alle attività di divulgazione degli intervistati può influenzare il loro comportamento di adozione. Attraverso la partecipazione alle attività di divulgazione, l'agricoltore può avere l'opportunità di apprendere o esporsi a nuove idee e può essere motivato all'adozione. Il termine partecipazione alle attività di divulgazione in questo studio si riferisce al grado di coinvolgimento degli intervistati nelle varie attività di divulgazione. Il punteggio totale di un singolo intervistato è la somma delle voci a cui l'intervistato ha partecipato. Il punteggio del singolo intervistato è stato ottenuto sommando i punteggi di tutti gli item. I punteggi complessivi degli intervistati sono stati ottenuti e, in base al loro coinvolgimento nelle attività di divulgazione, sono stati classificati ai fini dell'analisi come segue:

Categorie	Punteggio
Nullo	0
Basso (fino a 3 punti)	1
Medio (punteggio 4-7)	2
Alto (punteggio superiore a 7)	3

3.4.2 Caratteristiche socioeconomiche degli intervistati

3.4.2.1 Proprietà terriera

La proprietà terriera della famiglia intervistata è stata considerata un fattore importante che influenza il processo di adozione. Il numero di ettari utilizzati per la coltivazione dagli intervistati al momento

31

dell'intervista è stato considerato in base alle dimensioni delle proprietà terriere degli intervistati e sono stati raggruppati nelle seguenti categorie:

Categorie	Punteggio
Agricoltori marginali (fino a 1 ha)	1
Piccoli agricoltori (1,1-2ha)	2
Medio (2,1-4 ha)	3
Grandi agricoltori (oltre 4 ettari)	4

3.4.2.2 Impianto di irrigazione

Sono state raccolte informazioni sul tipo di fonte utilizzata dagli intervistati per l'irrigazione delle colture. Sono state identificate diverse fonti di irrigazione, come canali, pozzi, stagni e pozzi. Sulla base della disponibilità di impianti di irrigazione, gli agricoltori sono stati classificati nel modo seguente per l'analisi dei dati:

Categorie	Punteggio
Disponibile	0
Non disponibile	1

3.4.2.3 Occupazione

Nello studio sono state incluse le occupazioni degli intervistati, come l'agricoltura, la zootecnia, i servizi e altre attività commerciali, ecc. I tipi di occupazione praticati dagli agricoltori sono stati classificati per l'analisi nei seguenti modi:

Categorie	Punteggio
Agricoltura1	
Agricoltura+ Lavoro (agricoltura, edilizia, MNREGA, ecc.)	2
Agricoltura	+Agricoltura3
Agricoltura	+Affari4
Agricoltura +Servizi e altre	occupazioni5

3.4.2.4 Reddito annuo

In questo studio, il reddito annuo totale proveniente da tutte le fonti disponibili degli intervistati è stato ottenuto e classificato sotto le seguenti voci:

Categorie	Punteggio
Fino a Rs. 50000	1
Rs.50001-100000	2
Rs. 100001-200000	3
Sopra le 200000 rupie	4

3.4.2.5 Acquisizione del credito

La disponibilità di credito necessaria per l'acquisto degli input richiesti può influenzare il comportamento di adozione degli agricoltori. L'adozione di pratiche di gestione delle sementi richiede maggiori investimenti per l'acquisto di sementi, fertilizzanti, strumenti, insetticidi e pesticidi, ecc. La disponibilità di credito individuata dagli agricoltori è stata poi misurata nei seguenti modi:

Categories	Score
Acquired	1
Not acquired	0

3.4.3 Caratteristiche comunicative degli intervistati

3.4.3.1 Fonte delle informazioni

Si suppone che le fonti di informazione siano direttamente associate all'adozione di una nuova tecnologia. Queste fonti di informazione forniscono agli intervistati diverse informazioni sulle pratiche di gestione delle sementi. Per valutare questa variabile, sono state identificate diverse fonti di informazione. Per determinare il grado di utilizzo di ciascuna fonte informativa, le risposte degli agricoltori sono state registrate e presentate in frequenza e percentuale. Successivamente, gli intervistati sono stati classificati per l'analisi sulla base dell'utilizzo del numero di fonti di informazione, come segue:

Categories	Score
Low utilization (1-2source)	1
Medium utilization (3-4 source)	2
High utilization (>5)	3

3.4.4 Cosmopolitica

La cosmopolitica è la tendenza di un individuo a essere in contatto con l'esterno della propria comunità, basata sulla convinzione che tutti i bisogni di un individuo non possono essere soddisfatti all'interno della propria comunità.

Per misurare la cosmopoliticità degli intervistati, è stato chiesto loro di indicare il grado di contatto con l'esterno del loro sistema sociale grazie ai propri sforzi. Per quantificare questa variabile è stata utilizzata la procedura seguita da Ravishankar (1979), con lievi modifiche. Gli intervistati sono stati raggruppati in quattro categorie come segue:

Categorie	Punteggio
Nullo (mai)	0
Basso (una volta al mese)	1
Medio (una volta alla settimana)	2
Alta (due o più volte in una settimana)	3

3.4.5 Partecipazione di genere

Si riferisce alla differenza tra uomini e donne in termini di ruolo e di società, di valori, di atteggiamenti e di variabili socio-psicologiche. Gli intervistati sono stati classificati come segue:

Categorie	Punteggio
Uomo	1
Donna	2
Sia maschi che femmine	3

3.4.6 Fonte delle sementi

Le fonti di sementi sono direttamente associate alle pratiche di gestione delle sementi degli agricoltori. Per valutare le variabili sono state identificate otto fonti di sementi e presentate in frequenza e percentuale. Ai fini dell'analisi, le fonti sono state categorizzate nel modo seguente:

Categorie	Punteggio
Utilizzato 1-2 fonti	1
Utilizzato 3-4 fonti	2
Utilizzato >4 fonti	3

3.4.7 Disponibilità di sementi

La disponibilità di sementi è un fattore importante per la gestione delle sementi da parte degli agricoltori. Per valutare questa variabile della disponibilità di sementi, sono stati identificati diversi aspetti. Per determinare il grado di disponibilità delle sementi, le risposte degli agricoltori sono state registrate e presentate in frequenza e percentuale.

Categorie	Punteggio
Disponibilità di semi puri	1
Semi parzialmente puri	2
Non disponibile	3

3.4.8 Conoscenza delle pratiche di gestione delle sementi raccomandate

La conoscenza dell'innovazione può essere un fattore importante che influenza il comportamento di adozione degli agricoltori. Bloom (1979) ha definito la conoscenza come quei comportamenti e quelle situazioni migliori che enfatizzano il ricordo o il riconoscimento di idee, materiali e fenomeni. In questo studio la conoscenza operativa è stata utilizzata come conoscenza effettiva degli agricoltori riguardo alle pratiche selezionate di gestione e sostituzione delle sementi.

Le risposte degli intervistati in merito alle pratiche selezionate sono state registrate su una scala continua a tre punti, ossia Pieno, Parziale e Nullo, con un punteggio rispettivamente di 2, 1 e 0. Per valutare il livello di conoscenza di ciascun intervistato è stato elaborato un indice di conoscenza con l'aiuto della seguente equazione:

$$K.I. = \frac{O}{S} \; X \, 100$$

Dove,

KI = Indice di conoscenza dell'intervistato

O = Punteggio totale ottenuto dall'intervistato

S = Punteggio totale ottenibile

Sulla base dell'indice di conoscenza, gli agricoltori sono stati classificati come segue:

Categorie	Punteggio
Nullo	0
Basso	1
Medio	2
Alto	3

3.5 Operativizzazione delle variabili dipendenti e loro misurazione

3.5.1 Tasso di sostituzione delle sementi

Le risposte sul tasso di sostituzione delle sementi degli intervistati per le colture selezionate sono state registrate sulla base di quattro anni, dal 2010 al 2014. Per valutare il tasso di sostituzione delle sementi di ciascun intervistato è stato elaborato un indice di sostituzione delle sementi con l'aiuto della seguente equazione:

$$SRR = X / Y \; x \, 100$$

Dove,

X = Superficie netta sostituita con l'utilizzo di sementi di qualità migliorata

Y = Superficie totale coltivata

35

Sulla base dell'indice di sostituzione, è stata aggiunta la sostituzione media delle sementi di ciascun intervistato e classificata nel modo seguente:

Categorie	Punteggio
Nessun coinvolgimento nella sostituzione	0
A volte la sostituzione	1
Sostituzione elevata	3

3.5.2 Vincoli incontrati dagli intervistati nell'adozione delle pratiche di gestione delle sementi raccomandate

Per misurare i vincoli incontrati dagli intervistati nell'adozione delle pratiche di gestione delle sementi è stata applicata la tecnica della graduatoria semplice. A ciascun intervistato è stato chiesto di menzionare i propri vincoli nell'adozione delle pratiche di gestione delle sementi raccomandate, in ordine di grado di difficoltà. Le risposte sono state calcolate e presentate sulla base della frequenza e della percentuale.

3.5.3 Suggerimenti forniti dagli intervistati per minimizzare i vincoli

Agli intervistati è stato chiesto di fornire i loro preziosi suggerimenti per superare i vincoli che incontrano nell'adozione delle pratiche di gestione delle sementi. I suggerimenti offerti sono stati riassunti in base al numero e alla percentuale di intervistati che si sono espressi a favore dei rispettivi suggerimenti.

3.6 Tipo di dati

In vista degli obiettivi dello studio, sono stati ottenuti i seguenti tipi di dati dagli intervistati:

1. Dati relativi alle caratteristiche socio-personali dei partecipanti.

2. Dati relativi alle caratteristiche socio-economiche

3. I dati relativi alla situazione socio-psicologica

4. Dati relativi alla comunicazione,

5. Dati relativi a vincoli/problemi e suggerimenti percepiti dagli intervistati in merito alla gestione delle sementi e alle pratiche di sostituzione.

3.7 Elaborazione del programma di intervista

Il programma di intervista è stato progettato sulla base degli obiettivi e delle variabili indipendenti e dipendenti della presente indagine. Per facilitare gli intervistati, il programma di intervista è stato redatto in "hindi". Ogni domanda è stata accuratamente esaminata e discussa con gli esperti prima di finalizzare il programma di intervista. Sono state prese le dovute precauzioni e attenzioni per

36

formulare le domande in modo che fossero ben comprese dagli intervistati e che fosse più facile rispondere. Il programma di intervista preparato è stato utilizzato nell'area di studio per la raccolta dei dati. Sulla base dell'esperienza acquisita durante i test preliminari, sono state apportate le modifiche e i suggerimenti necessari prima di dare il tocco finale al programma di intervista.

3.7.1 Validità

La validità si riferisce al "grado in cui lo strumento di raccolta dei dati misura ciò che dovrebbe misurare piuttosto che qualcos'altro". La validità del programma di intervista utilizzato per questo studio è stata massimizzata adottando le seguenti misure:

1. Il programma di interviste è stato discusso a fondo con gli scienziati e i membri del comitato consultivo interessati e i loro suggerimenti sono stati recepiti.

2. Il pre-test del programma di intervista ha fornito un ulteriore controllo per migliorare lo strumento.

3. È stata verificata la pertinenza di ogni domanda rispetto agli obiettivi dello studio, l'ordine logico e la formulazione di ogni domanda.

3.7.2 Affidabilità

L'affidabilità di un programma di intervista si riferisce alla "sua coerenza o stabilità nell'ottenere informazioni dagli intervistati". In questo studio è stato seguito il metodo test-retest per stimare l'affidabilità di un programma di intervista. Trenta intervistati dell'area di studio sono stati selezionati a caso e intervistati nuovamente dopo 2 o 3 settimane, utilizzando lo stesso programma di intervista seguito al momento della prima intervista. Poiché sono state osservate le stesse risposte, l'affidabilità del programma di intervista è stata garantita.

3.8 Metodo di raccolta dei dati

Gli intervistati sono stati intervistati personalmente. Prima dell'intervista, gli intervistati sono stati messi in confidenza rivelando lo scopo effettivo dello studio e si è prestata la massima attenzione a sviluppare un buon rapporto con loro. È stato assicurato loro che le informazioni fornite sarebbero state mantenute riservate. L'intervista è stata condotta in un'atmosfera formale e amichevole, senza alcuna complicazione.

3.9 Analisi statistica

I dati raccolti nel corso dell'indagine sono stati tabulati in un foglio di codifica e poi è stata effettuata un'analisi appropriata dei dati in base agli obiettivi, come suggerito da Cochran e Cox (1957). Le tecniche statistiche sono state applicate sotto forma di frequenza, percentuale, media, deviazione standard, coefficiente di correlazione, ecc.

CAPITOLO - 4

RISULTATI E DISCUSSIONE

Questo capitolo tratta i risultati ottenuti su vari aspetti dello studio e li supporta con un'adeguata discussione sui risultati. I dati sono stati raccolti da 120 intervistati attraverso un programma di interviste sulla base degli obiettivi dello studio. I dati raccolti sono stati classificati, tabulati, analizzati, presentati, interpretati e discussi sistematicamente.

I risultati sono discussi alla luce delle variabili indipendenti e dipendenti e presentati nei capi seguenti:

4.1 Variabile indipendente

4.1.1 Caratteristiche socio-personali

4.1.2 Caratteristiche socioeconomiche

4.1.3 Caratteristiche comunicative

4.1.4 Cosmopolitica

4.1.5 Partecipazione di genere

4.1.6 Disponibilità di sementi

4.1.7 Fonte del seme

4.2 Conoscenze degli intervistati sulla gestione delle sementi

4.3 Adozione di pratiche di gestione delle sementi

4.4 Variabili dipendenti

4.4.1 Rapporto di sostituzione del seme

4.4.2 Analisi di correlazione delle variabili indipendenti con il rapporto di sostituzione delle sementi degli intervistati

4.4.3 Analisi di regressione multipla delle variabili indipendenti con il rapporto di sostituzione delle sementi degli intervistati

4.5 Vincoli incontrati dagli intervistati nell'adozione della gestione e della sostituzione delle sementi

4.6 Suggerimenti offerti dagli intervistati per la gestione delle sementi e le pratiche di sostituzione.

4.1 Variabile indipendente

4.1.1 Caratteristiche socio-personali

L'età, l'istruzione, le dimensioni della famiglia, l'esperienza agricola, la partecipazione sociale e la

38

partecipazione alle attività di divulgazione sono state considerate come caratteristiche socio-personali degli intervistati. Queste variabili sono state analizzate e presentate nella tabella 4.1.

4.1.1.1 Età degli intervistati

I risultati sull'età degli intervistati sono presentati nella Tabella (4.1). I dati rivelano che la maggior parte (46,67%) degli agricoltori apparteneva alla mezza età, mentre il 36,66% era di giovane età e il 16,67% apparteneva alla vecchiaia. Questo risultato indica che il gruppo principale di agricoltori (di mezza età) è in grado di apprendere e adottare le pratiche di gestione e sostituzione delle sementi se istruito adeguatamente da istituzioni informali appropriate.

Questi risultati sono simili a quelli di Bishaw *et al.* (2010), che hanno rilevato che l'età media del capofamiglia era di 41 anni, con un range che andava dai 18 agli 81 anni. Più della metà degli agricoltori aveva un'età inferiore alla media, il che indica il coinvolgimento delle giovani generazioni nell'agricoltura. Solo il 7% aveva più di 65 anni e spesso era assistito da bambini. Adetumbi *et al.* (2010) hanno rilevato che la maggior parte degli intervistati (82,90%) aveva un'età compresa tra i 41 e i 60 anni, mentre il 17,10% aveva un'età compresa tra i 21 e i 40 anni, con un'età media di 49,8 anni.

4.1.1.2 Istruzione degli intervistati

I dati sull'istruzione degli intervistati presentati nella Tabella 4.1 rivelano che circa il 40% degli intervistati aveva un livello di istruzione fino alla scuola elementare, il 20,83% degli agricoltori aveva la scuola media, il 12,50% la scuola superiore, il 10% la scuola secondaria superiore, il 9,17% l'analfabetismo e il 7,50% degli intervistati era laureato o con un livello di istruzione superiore. Beshir (2013) ha rilevato che l'istruzione dovrebbe influenzare positivamente l'adozione di varietà migliorate, poiché ci si aspetta che una persona istruita cerchi, analizzi e utilizzi le informazioni su una nuova tecnologia.

4.1.1.3 Dimensione della famiglia

I dati relativi alle dimensioni della famiglia riportati nella Tabella 4.1 indicano che il 51,67% degli intervistati ha una famiglia di medie dimensioni (da 6 a 10 membri), seguito dal 42,50% degli intervistati con una famiglia di piccole dimensioni (fino a 5 membri) e solo il 5,83% degli intervistati con una famiglia di grandi dimensioni (oltre i 10 membri).

4.1.1.4 Esperienza agricola

I dati relativi all'esperienza agricola presentati nella Tabella 4.1 mostrano che la maggior parte degli intervistati (53,33%) ha un'esperienza agricola compresa tra i 16 e i 30 anni, seguita dal 44,17% che ha un'esperienza agricola fino a 15 anni e solo il 2,50% degli intervistati ha un'esperienza agricola superiore ai 30 anni. Questi risultati sono simili a quelli di Oyekale *et al.* (2009).

4.1.1.5 Partecipazione sociale

I dati sulla partecipazione sociale riportati nella Tabella 4.1 mostrano che la maggior parte degli intervistati (55%) è membro di un'organizzazione, seguita dal 24,17% degli intervistati che non è membro di alcuna organizzazione e dal 20,83% degli intervistati che è membro di più di un'organizzazione. La partecipazione sociale dà un'idea della partecipazione degli intervistati alle attività sociali della società. Dubey (2008) ha riportato che il maggior numero di intervistati (46,92%) ha aderito a un'organizzazione, seguito dal 34,62% degli intervistati che non ha aderito ad alcuna organizzazione, mentre l'11,53% degli intervistati ha aderito a più di un'organizzazione. Solo il 6,93% degli intervistati apparteneva alla categoria dei dirigenti.

Tabella 4.1: Distribuzione degli intervistati in base alle loro caratteristiche socio-personali

Sl. N. Particolare	Frequenza	Percentuale
1 Età		
> Giovane (fino a 35 anni)	44	36.67
> Media (da 36 a 50 anni)	56	46.67
> Anziani (oltre i 50 anni)	20	16.67
2 Istruzione		
> Analfabeta	11	9.17
> Primaria (fino alla 5a classe)	48	40.00
> Media (dalla 6a all'8a classe)	25	20.83
> Scuola superiore (dalla 9a alla 10a classe)	15	12.50
> Secondario superiore (11°-12° classe[th])	12	10.00
> Laureato o superiore	9	7.50
3 Dimensione della famiglia		
> Piccolo (fino a 5 membri)	51	42.50
> Medio (da 6 a 10 membri)	62	51.67
> Grande (oltre 10 membri)	7	5.83
4 Esperienza agricola		
> Meno esperti (fino a 15 anni)	53	44.17
> Media esperienza (16-30 anni)	64	53.33
> Alta esperienza (oltre 30 anni)	3	2.50
5 Partecipazione sociale		
> Nessuna iscrizione	29	24.17
> Membro di un'organizzazione	66	55.00
> Membro di più di un'organizzazione	25	20.83
6 Partecipazione all'estensione*	69	57.5

> Discussione con l'agente di divulgazione		
> Partecipazione al programma della giornata dell'agricoltore	2	1.67
> Partecipare alle riunioni di divulgazione	25	20.83
> Partecipazione alla fiera degli agricoltori	30	25.00
> Leggi la pubblicazione dell'estensione	2	1.67
> Guardare e ascoltare l'agricoltura	30	25.00
programma in TV/Radio		

* **I** dati si basano su risposte multiple

4.1.1.6 Partecipazione all'estensione

I dati relativi alla partecipazione all'attività di divulgazione riportati nella Tabella 4.1 mostrano che la maggior parte degli intervistati (57,5%) ha partecipato a colloqui con l'agente di divulgazione, seguito dal 25% degli intervistati che ha guardato e ascoltato programmi agricoli in TV/Radio e ha partecipato alla fiera degli agricoltori, dal 20,83% degli agricoltori che ha partecipato a riunioni di divulgazione e solo dall'1,67% degli intervistati che ha partecipato al programma della giornata dell'agricoltore e ha letto le pubblicazioni di divulgazione.

4.1.2 Caratteristiche socioeconomiche degli intervistati

Le variabili, ovvero la proprietà terriera, l'impianto di irrigazione, l'occupazione, il reddito annuo e l'acquisizione di crediti, sono state considerate come caratteristiche socio-economiche degli intervistati.

4.1.2.1 Dimensione dell'azienda agricola

La distribuzione degli intervistati in base alle loro proprietà terriere è presentata nella Tabella 4.2 e nella Fig. 4.1. I dati relativi alle proprietà terriere indicano che la maggior parte degli intervistati (41,67%) possedeva da 2,1 a 4 ettari di terreno (agricoltori medi), seguiti dal 24,17% che possedeva oltre 4 ettari di terreno (grandi agricoltori) e

17.5 per cento aveva piccoli agricoltori da 1,1 a 2 ettari. Circa il 16,67% degli intervistati rientra nella categoria degli agricoltori marginali con terreni fino a 1 ettaro.

Tabella 4.2: Distribuzione degli intervistati in base alla dimensione della loro proprietà terriera

Sl. No.	Proprietà terriera	Frequenza	Percentuale
1	Agricoltori marginali (fino a 1 ha)	20	16.67
2	Piccoli agricoltori (1,1-2ha)	21	17.5
3	Medio (2,1-4 ha)	50	41.67
4	Grandi agricoltori (oltre 4 ettari)	29	24.17

4.1.2.2 Impianto di irrigazione

L'irrigazione è l'input più critico in agricoltura. Nella produzione di colture da reddito, la produttività, l'intensità della coltivazione e la redditività sono direttamente correlate alla disponibilità di impianti di irrigazione. Circa il 57% degli intervistati disponeva di impianti di irrigazione. L'impianto di irrigazione era limitato solo al 21,68% della superficie totale (Tabella 4.3). Oltre il 78% degli intervistati non disponeva di impianti di irrigazione pur possedendo il 78,32% dei terreni.

Canale, pozzo, pozzo nero, stagno ecc. sono le fonti di irrigazione nell'area di studio. Sul totale dell'area irrigata, quasi il 40% è stato irrigato dal canale. Circa il 59% degli intervistati ha irrigato il 52,64% della propria superficie con un pozzo. Anche gli stagni e i pozzi sono stati utilizzati come fonti di irrigazione in più del 7% delle aree. (Fig. 4.2)

Tabella 4.3: Disponibilità di irrigazione e area irrigata in base alla fonte tra gli intervistati

Dettagli	Numero di agricoltori		Area (ha)	
Sl. No.	Frequenza	Percentuale	Area	Percentuale
1 Disponibilità di impianti di irrigazione				
> Disponibile	69	57.50	92.30	21.68
> Non disponibile	51	42.50	333.60	78.32
Totale	120	100.0	425.90	100.0
2 Fonti di irrigazione				
> Canale	21	30.88	36.84	39.92
> Tubo bene	40	58.82	48.58	52.64
> Bene	4	5.84	2.02	2.18
> Stagno	3	4.42	4.85	5.26
Totale	69	100.0	92.30	100.0

Tabella 4.4: Distribuzione degli intervistati in base al loro coinvolgimento in varie occupazioni

Sl. No.	Occupazione	Frequenza*	Percentuale
1	Agricoltura	120	100
2	Agricoltura+ Lavoro (agricoltura, edilizia, MNREGA, ecc.)	39	32.5
3	Agricoltura +Agricoltura	111	92.5
4	Agricoltura +Affari	22	18.33
5	Agricoltura +Servizi e altre professioni	25	20.83

*I dati si basano su risposte multiple

42

4.1.2.3 Occupazione

La tabella 4.4 riporta i dati relativi al coinvolgimento degli intervistati in diverse occupazioni. I dati rivelano che il 100% degli intervistati era impegnato nell'agricoltura, seguito dal 32,5% impegnato nell'agricoltura + lavoro (agricoltura, edilizia, MNREGA ecc.), circa il 92,5% degli intervistati era impegnato nell'agricoltura + allevamento, mentre il 18,33% era impegnato nell'agricoltura + attività commerciali. Circa il 21% degli intervistati aveva adottato servizi e altre occupazioni insieme all'agricoltura. Risultati quasi simili sono stati osservati da Patel (2008).

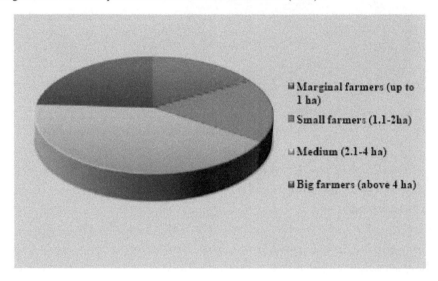

Fig.4.1: Distribuzione degli intervistati in base alla dimensione della loro azienda agricola

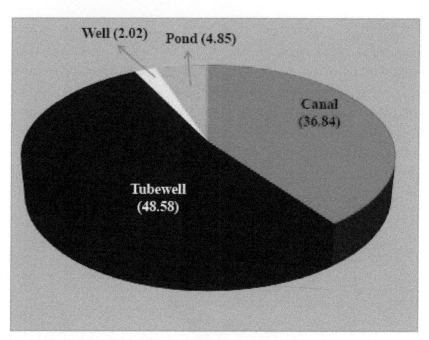

Fig 4.2: Area irrigata totale per fonte (in ha)

4.1.2.4 Reddito annuo

Per quanto riguarda il reddito annuo, i dati riportati nella Tabella 4.5 rivelano che la maggior parte degli intervistati (59,17%) aveva un reddito fino a 50000 rupie, seguito dal 29,17% degli intervistati con un reddito annuo compreso tra 50001 e 1.000 rupie, mentre il 10,83% degli intervistati aveva ottenuto un reddito compreso tra 1.00000 e 2.00000 rupie e solo il 4,17% degli intervistati aveva un reddito superiore a 200.000 rupie. Bishaw *et al.* (2010) hanno riscontrato che l'agricoltura è la principale fonte di reddito per tutti gli agricoltori e che le opportunità di generare reddito al di fuori dell'azienda agricola sono limitate, così come le opportunità di lavoro occasionale durante la semina, la sarchiatura e il raccolto.

Tabella 4.5: Distribuzione degli intervistati in base al loro reddito annuale

Sl. No.	Reddito annuo (rs.)	Frequenza	Percentuale
1	Fino a 50000	71	59.17
2	50001-100000	35	29.17
3	100000-200000	13	10.83
4	Più di 200000	5	4.17

4.1.2.5 Acquisizione di credito degli intervistati

I risultati relativi all'acquisizione del credito sono presentati nella Tabella 4.6. I dati rivelano che la maggior parte degli intervistati (65%) ha acquisito credito, mentre il 35% degli intervistati non ha acquisito credito.

Sul totale dei crediti acquisiti, la maggior parte degli intervistati (49,17%) ha preso credito dalla società cooperativa, il 5% dalla banca nazionale, da amici e parenti e il 5,83% degli intervistati ha preso credito da negozianti e prestatori di denaro.

Per quanto riguarda la durata del credito, la maggior parte degli intervistati (50,83%) ha preso prestiti fino a 6 mesi e solo il 14,17% degli intervistati ha preso prestiti per 6-12 mesi.

Per quanto riguarda l'importo del credito, è emerso che la maggior parte degli intervistati (44,87%) ha ottenuto un credito compreso tra 10.000 e 20000 rupie, mentre il 41,03 e il 14,11% degli intervistati ha ottenuto un credito fino a 10.000 rupie e superiore a 20000 rupie rispettivamente. È emerso che la maggior parte degli intervistati (40%) ha utilizzato il credito per l'acquisto di fertilizzanti per la produzione, mentre il 9,17, il 4,16, il 10 e l'1,67% degli intervistati ha utilizzato il credito rispettivamente per l'acquisto di sementi, di pesticidi ed erbicidi, di strumenti e per altri acquisti e rimborsi.

Tabella 4.6: Distribuzione degli intervistati in base all'acquisizione del credito

Sl No.	Dettagli	F	P
1	Acquisizione del credito		
	> Acquisito	78	65.00
	> Non acquisito	42	35.00
2	Fonte di credito (n=78)		
	> Società cooperativa	59	49.17
	> Banca nazionalizzata	6	5.00
	> Amici e parenti	6	5.00
	> Negoziante e prestatore di denaro	7	5.83
3	Durata del credito (n=78)		
	> fino a 6 mesi	61	50.83
	> 6-12 mesi	17	14.17
	> >12 mesi	0	0.00
4	Importo del credito (n=78)		
	> Fino a.10000 Rs	32	41.03
	> 10000 Rs.-.20000 Rs	35	44.87
	> Oltre 20000 Rs.	11	14.11
5	Scopo del credito		
	> Acquisto di fertilizzanti	48	40.00

> Acquisto di sementi		11	9.17
> Acquisto di pesticidi ed erbicidi		5	4.17
> Strumento		12	10.00
> Per altri scopi di acquisto e di rimborso (acquisto di terreni, rimborso di vecchi prestiti, ecc.).		2	1.67

4.1.3 Caratteristiche comunicative degli intervistati

4.1.3.1 Fonti di informazione

Tutte le possibili fonti di informazione sono state selezionate, identificate e presentate nella tabella 4.7. I risultati rivelano che, nell'area di studio, i funzionari dell'estensione agricola rurale (RAEO) sono la prima fonte di informazione, utilizzata dall'86,67% degli intervistati. Lo studio rivela anche che il 64,17% degli intervistati ha ottenuto le informazioni dalla radio, seguito dal 49,17% degli intervistati che ha ottenuto le informazioni dallo scienziato, dagli amici (42,50%), dai parenti (37,50%), dalla rivista agricola (35,00%), dai vicini (34,17%), dalla televisione (32,50%), dal funzionario del distretto agricolo (27,5%) sono state le altre fonti di informazione più diffuse e si sono classificate rispettivamente al IV, V, VI, VII e IX posto.

Tabella 4.7: Fonti di informazione utilizzate dagli intervistati per ricevere informazioni

Sl. No.	Utilizzo di diverse fonti di informazione	Frequenza*	Percentuale	Classifica
1	Gli amici	51	42.50	IV
2	Parenti	45	37.50	V
3	Vicini di casa	41	34.17	VII
4	Agricoltori progressisti	16	13.33	XVI
5	Leader dei Panchayat	29	24.17	XI
6	RAEO	104	86.67	I
7	ADO	33	27.50	IX
8	Scienziato	59	49.17	III
9	Rivenditori di ingressi	16	13.33	XVI
10	Giornale	17	14.17	XIV
11	Riviste di agricoltura	42	35.00	VI
12	Radio	77	64.17	II
13	T.V.	39	32.50	VIII
14	Fiera degli agricoltori	24	20.00	XIII
15	Dimostrazione	30	25.00	X
16	Formazione	26	21.67	XII

*I dati si basano su risposte multiple

Oltre a queste, altre fonti di informazione come le dimostrazioni (25%),

I leader dei panchayat (24,17%), la formazione (21,67%), la fiera degli agricoltori (20,0%), i giornali (14,17%) e i rivenditori di input (13,33%) sono stati utilizzati dagli intervistati per ricevere informazioni sulla gestione delle sementi nell'area di studio.

I dati relativi al numero di fonti d'informazione utilizzate dai singoli intervistati sono stati registrati e presentati nella Tabella 4.8. I dati rivelano che la maggioranza (60,83%) degli intervistati utilizza più di 5 fonti di informazione, seguita dal 32,50% degli intervistati che utilizza 3-5 fonti di informazione e solo il 6,67% degli intervistati che utilizza 1-2 fonti di informazione. Risultati simili sono stati riportati da Verma e Sidhu (2009) e Ensermu *et al.* (1998).

Tabella 4.8: Utilizzo complessivo del numero di fonti di informazione da parte degli intervistati

Sl. No.	Utilizzo di fonti di informazione	Frequenza	Percentuale
1	Basso utilizzo (1-2 fonti)	8	6.67
2	Utilizzo medio (3-5 fonti)	39	32.50
3	Utilizzo elevato (>5)	73	60.83

4.1.4 Cosmopolitica

I dati relativi alla cosmopoliticità sono presentati nella Tabella 4.9. I risultati rivelano che il maggior numero di intervistati (47,50%) ha una cosmopoliticità media (una volta alla settimana), mentre il 28,33% ha riportato una cosmopoliticità alta (due o più volte alla settimana). Circa il 24,17% degli intervistati ha riportato una cosmopolitica bassa (una volta al mese). Nessuno degli intervistati appartiene alla categoria cosmopolitica zero (mai). Ciò indica che la maggior parte degli intervistati appartiene alla categoria media di cosmopolitismo.

Tabella 4.9: Distribuzione degli intervistati in base alla loro cosmopoliticità

Sl. No.	Particolare	Frequenza	Percentuale
1	Nullo (mai)	0	0
2	Basso (una volta al mese)	29	24.17
3	Medio (una volta alla settimana)	57	47.50
4	Alta (due o più volte in una settimana)	34	28.33

4.1.5 Partecipazione di genere alle pratiche di gestione delle sementi

Sia gli intervistati di sesso maschile che quelli di sesso femminile hanno partecipato alle diverse pratiche di gestione delle sementi, ma la percentuale di contributo a ciascuna attività varia da pratica a pratica. I dati sulla partecipazione di genere alle pratiche di gestione delle sementi sono presentati nella Tabella 4.10.

Tra le varie attività, gli intervistati di sesso maschile hanno prevalso nel trattamento delle sementi, nel trattamento dello stoccaggio, nel controllo degli insetti nocivi, nel trasporto e nella

47

commercializzazione, nella gestione dell'umidità, mentre le intervistate di sesso femminile hanno prevalso nella sarchiatura, nella raccolta, nella sgrossatura, nella pulizia, nello stoccaggio delle sementi, nell'essiccazione, nella trebbiatura, nella cernita e nella vangatura.

Sia gli uomini che le donne hanno partecipato a diverse pratiche, come la scardolatura (38,33%), la sarchiatura (17,5%), la raccolta (38,33%), la trebbiatura (34,17%), la strigliatura (70,83%), la pulizia (33,33%), l'essiccazione (35%), lo stoccaggio dei semi (22,5%), il trattamento dello stoccaggio (34,17%), la gestione dei parassiti dello stoccaggio (9,17%), la gestione dell'umidità dello stoccaggio dei semi (18,33%), la classificazione (57,5%), il trasporto e la commercializzazione dei semi (57,5%).5 %), trattamento dello stoccaggio (34,17%), gestione dei parassiti dello stoccaggio (9,17%), gestione dell'umidità dello stoccaggio dei semi (18,33%), classificazione (57,5%), trasporto e commercializzazione dei semi (24,17%). Questi dati dimostrano che le donne sono più presenti e partecipano alle attività di gestione delle sementi rispetto agli uomini. Risultati simili sono stati riportati da Bishaw *et al.* (2010). Diaz *et al.* (1994)

Tabella 4.10: Distribuzione degli intervistati in base alla partecipazione di genere alla gestione delle sementi

Sl. No.	Dettagli	Uomo	Donna	Sia maschi che femmine
1	Trattamento delle sementi	66	18	36
		(55.00)	(15.00)	(30.00)
2	Raggirando	5.0	86	29
		(4.17)	(71.67)	(38.33)
3	Diserbo	3.0	96	21
		(2.50)	(80.0)	(17.5)
4	Raccolta	3.0	88	29
		(2.50)	(73.33)	(38.33)
5	Trebbiatura	12	67	41
		(10.0)	(55.83)	(34.17)
6	Innaffiamento	7.0	28	85
		(5.83)	(23.33)	(70.83)
7	Pulizia	3.0	77	40
		(2.50)	(64.17)	(33.33)
8	Asciugatura	4.0	74	42

		(3.33)	(61.67)	(35)
9	Conservazione dei semi	17	76	27
		(14.17)	(63.33)	(22.5)
10	Immagazzinamento trattamento	63	16	41
		(52.50)	(13.33)	(34.17)
11	Infestanti da stoccaggio gestione	61	48	11
		(50.83)	(40.00)	(9.17)
12	Umidità gestione	36	62	22
		(30.00)	(51.67)	(18.33)
13	Classificazione	4.0	47	69
		3.33	(39.17)	(57.50)
14	Trasporto e marketing	80.0	11.00	29.0
		(66.67)	(9.17)	(24.17)

Nota: le cifre tra parentesi sono percentuali.

4.1.6 Fonte dei semi

La Tabella 4.11 rappresenta la distribuzione degli intervistati in base al loro utilizzo delle diverse fonti di sementi. I dati rivelano che la maggior parte (35%) degli intervistati ha ottenuto le sementi dall'ente sementiero statale e dal venditore autorizzato di sementi. Seguono il 29,17, il 15, l'8,33, il 4,17 e l'1,67% degli intervistati che hanno ottenuto i loro semi da borse di semi, sementi proprie, negozianti del villaggio, parenti e amici, agricoltori progressisti e scuole di agricoltura, rispettivamente. Risultati simili sono stati riportati da Bishaw et al. (2010) e Sahlu et al. (2000).

Tabella 4.11: Distribuzione degli intervistati in base all'utilizzo delle diverse fonti di sementi

Sl. No.	Fonti di semi	Frequenza*	Percentuale	Classifica
1	Semi propri	18	15.0	III
2	Agricoltori progressisti	5	4.17	V
3	Parenti e amici	10	8.33	IV
4	Società statale per le sementi	42	35.0	I
5	Collage di agricoltura	2	1.67	VI
6	Venditore autorizzato di sementi	42	35.0	I
7	Negoziante del villaggio	18	15.0	III
8	Scambi di semi	35	29.17	II

*I dati si basano su risposte multiple

4.1.7 Disponibilità di semi

I dati sulla disponibilità di sementi riportati nella Tabella 4.12 rivelano la percezione degli intervistati su vari aspetti della disponibilità di sementi: disponibilità tempestiva delle sementi, purezza fisica delle sementi, costo delle sementi, disponibilità in base alle esigenze, distanza della disponibilità. Per quanto riguarda la disponibilità tempestiva delle sementi, il 48,33% degli intervistati le ha sempre disponibili, il 44,17% le ha talvolta disponibili, il 7,5% non le ha disponibili; per quanto riguarda la purezza delle sementi, la maggior parte degli intervistati (72,5%) le ha parzialmente pure e il 27,5% pure. Per quanto riguarda il costo delle sementi, il 65% degli intervistati aveva un costo elevato, il 32,5% un costo ragionevole e il 2,5% un costo basso. Per quanto riguarda la disponibilità dei semi, il 49,17% degli intervistati li aveva talvolta disponibili, il 48,33% sempre disponibili, il 2,5% non disponibili. Per quanto riguarda la distanza di disponibilità dei semi, la maggior parte degli agricoltori (54,17%) acquista i semi nel proprio villaggio, il 36,67% vicino al villaggio (1-3 km) e il 9,17% ha acquistato i semi lontano dal villaggio (più di 3 km).

Tabella 4.12: Percezione degli intervistati su vari aspetti della disponibilità delle sementi

Sl. N. Particolare	Frequenza	Percentuale
1 Disponibilità tempestiva di sementi		
> Sempre disponibile	58	48.33
> A volte disponibile	53	44.17
> Non disponibile	9	7.50
2 Purezza fisica del seme		
> Puro	33	27.50
> Parzialmente puro	87	72.5
3 Costo del seme		
> Costo ragionevole delle sementi	39	32.50
> Sementi costose	78	65.00
> Basso costo delle sementi	3	2.50
4 Disponibilità secondo le esigenze		
> Sempre disponibile	58	48.33
> A volte disponibile	59	49.17
> Non disponibile	3	2.50
5 Distanza di disponibilità		
> All'interno del villaggio	65	54.17
> Vicino al villaggio (1-3km.)	44	36.67
> Lontano dal paese (>3km.)	11	9.17

4.2 Conoscenza della produzione e della gestione delle sementi

Le conoscenze degli intervistati in merito alle pratiche di gestione delle sementi selezionate sono presentate nella Tabella 4.13. I dati rivelano che gli intervistati avevano le conoscenze più elevate in merito a varie pratiche di gestione, come la vagliatura e la pulizia delle sementi (97,50), la raccolta (92,5%), la trebbiatura, la struttura di stoccaggio delle sementi (90,83%), la preparazione del campo (81,67%), il controllo dell'umidità (37,50%), la classificazione (33,33%), la selezione delle sementi (21,67%), il tasso di semina (17,5%), la sarchiatura, il controllo dell'umidità (37,50%).50%), classificazione (33,33%) selezione delle sementi (21,67%), dosaggio delle sementi (17,5%), diserbo, gestione degli insetti nocivi (13,33%), gestione dell'irrigazione (12,5%), fertilizzanti e concimi (8,33%), trattamento delle sementi (6,67%) e trattamento degli insetti nocivi in magazzino (2,50%).

Tabella 4.13: Distribuzione degli intervistati in base alle loro conoscenze in materia di gestione e produzione di sementi

Sl. No.	Dettagli	Livello di conoscenza		
		Completo	Parziale	Nullo
1	Selezione dei semi	26	80	14
		(21.67)	(66.67)	(11.67)
2	Trattamento delle sementi	8	98	14
		(6.67)	(81.67)	(11.67)
3	Preparazione del campo	98	20	2
		(81.67)	(16.66)	(1.67)
4	Tasso di semina	6	78	36
		(5.00)	(65.0)	(30.0)
5	Fertilizzanti e concimi	10	89	21
		(8.33)	(74.17)	(17.5)
6	Gestione dell'irrigazione	15	57	48
		(12.5)	(47.5)	(40.0)
7	Diserbo	16	101	3
		(13.33)	(84.17)	(2.50)
8	Gestione degli insetti nocivi	16	11	93
		(13.33)	(9.17)	(77.5)
9	Raccolta	111	9	0
		(92.5)	(7.5)	(0.00)
10	Trebbiatura, vagliatura e pulizia delle sementi	117	3	0
		(97.50)	(2.50)	(0.00)
11	Struttura di stoccaggio dei semi	109	8	3
		(90.83)	(6.67)	(2.50)
12	Controllo degli insetti dello stoccaggio	3	88	29
		(2.50)	(73.33)	(24.17)
13	Controllo dell'umidità	45	73	2
		(37.50)	(60.83)	(1.67)
14	Classificazione	40	72	8
		(33.33)	(60.00)	(6.67)

Nota: le cifre tra parentesi sono percentuali.

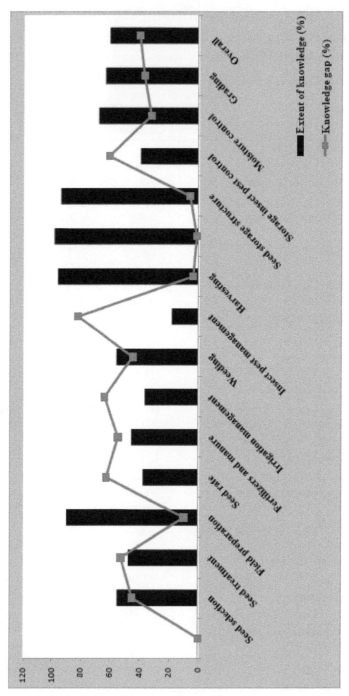

Figura 4.3: Grado di conoscenza e lacune degli agricoltori nelle pratiche di gestione delle

sementi

La conoscenza media degli intervistati nelle pratiche di gestione: selezione delle sementi (66,67%), trattamento delle sementi (81,67%), preparazione del campo (16,66%), dosaggio delle sementi (65%), applicazione di fertilizzanti e concimi (74,17%), gestione dell'irrigazione (47,5%), diserbo (84,17%), gestione degli insetti parassiti (9,17%), raccolta (7,5%), trebbiatura, strigliatura e pulizia delle sementi (2,50%), struttura di stoccaggio delle sementi (6,67%).17%), gestione degli insetti parassiti (9,17%), raccolta (7,5%), trebbiatura, strigliatura e pulizia dei semi (2,50%), struttura di stoccaggio dei semi (6,67%), controllo degli insetti parassiti dello stoccaggio (73,33%), controllo dell'umidità (60,83%) e classificazione (60,00%).

Tabella 4.14: Grado di conoscenza delle pratiche di produzione e gestione delle sementi

Sl. No.	Pratiche di gestione delle sementi	Punteggio totale ottenibile	Punteggio totale ottenuto	Grado di conoscenza (%)	Lacune di conoscenza (%)
1	Selezione dei semi	240	132	55.0	45.0
2	Trattamento delle sementi	240	114	47.5	52.5
3	Preparazione del campo	240	216	90.0	10.0
4	Tasso di semina	240	90	37.5	62.5
5	Fertilizzanti e concimi	240	109	45.47	54.53
6	Gestione dell'irrigazione	240	87	36.25	63.75
7	Diserbo	240	133	55.47	44.53
8	Gestione degli insetti nocivi	240	43	17.97	82.03
9	Raccolta	240	231	96.25	3.75
10	Trebbiatura, vagliatura e pulizia delle sementi	240	237	98.75	1.25
11	Struttura di stoccaggio dei semi	240	226	94.17	5.83
12	Controllo degli insetti dello stoccaggio	240	94	39.17	60.83
13	Controllo dell'umidità	240	163	67.97	32.03
14	Classificazione	240	152	63.33	36.67
	In generale	3360	2027	60.32	39.68

Circa (11,67%) la selezione e il trattamento delle sementi, la preparazione del campo (1,67%), il dosaggio delle sementi (30%), i fertilizzanti e il concime (17,5%), la gestione dell'irrigazione (40%), il diserbo e la struttura di stoccaggio delle sementi (2,5%), la gestione degli insetti nocivi (77,5%), il controllo degli insetti dello stoccaggio (24,17%), il controllo dell'umidità (1,67%) e la classificazione (6,67%).

4.2.2 Grado di conoscenza della produzione e della gestione delle sementi

Il grado di conoscenza della gestione e della produzione delle sementi è presentato nella Tabella 4.14 e nella Figura 4.3. I dati rivelano che la maggior parte degli intervistati, il 55%, aveva un grado di conoscenza della selezione delle sementi. I dati rivelano che la maggior parte degli intervistati, il 55%, aveva un livello di conoscenza sulla selezione delle sementi. Seguono il trattamento delle sementi (47,5%), la preparazione del campo (90%), il dosaggio delle sementi (37,5%), l'applicazione di fertilizzanti e concimi (45,47%), la gestione dell'irrigazione (36,25%), il diserbo (55,47%), la gestione degli insetti nocivi (17,97%), la raccolta (96%).97%), la raccolta (96,25%), la trebbiatura e la pulizia dei semi (98,75%), la struttura di stoccaggio (94,17%), il controllo degli insetti nocivi (39,17%), il controllo dell'umidità (67,97%) e la classificazione (63,33%). Il grado di conoscenza complessivo è stato del 60,32% e il divario di conoscenza del 39,68%.

4.3 Produzione e gestione delle sementi

4.3.1 Partecipazione degli intervistati alla produzione e alla gestione delle sementi in colture selezionate

La Tabella 4.15 rappresenta il coinvolgimento degli intervistati nella gestione e produzione delle sementi nelle colture selezionate. I dati rivelano che la gestione delle sementi di riso è stata adottata dal 51,67% degli agricoltori. Per quanto riguarda la gestione delle sementi di riso, la maggior parte degli intervistati (84,72%) ha utilizzato meno del 25% dell'area totale coltivata, mentre il 12,5% ha utilizzato il 50-75% dell'area, il 9,67% ha utilizzato il 50-60% dell'area e solo il 2,28% ha utilizzato più del 75% dell'area per la gestione delle sementi. Circa l'83,33% degli intervistati ha adottato sementi di varietà locali e il 16,67% ha adottato sementi di varietà migliorate per la produzione e la gestione delle sementi di riso.

Per quanto riguarda le colture di grano e mais, solo il 20% degli intervistati ha prodotto e gestito le proprie sementi, mentre l'87,5% ha adottato varietà locali e solo il 12% varietà migliorate. Circa il 62,50% degli intervistati ha utilizzato una superficie compresa tra il 50 e il 75% dell'area coltivata totale, il 20,83% ha utilizzato più del 75% dell'area coltivata e solo il 16,66% ha utilizzato meno del 25% dell'area coltivata per la produzione e la gestione delle sementi.

Tabella 4.15: Distribuzione degli intervistati in base al loro coinvolgimento nella produzione e gestione delle sementi nelle colture selezionate

Sl. N. Particolare	Frequenza	Percentuale
A Gestione delle sementi nel riso		
> Adottato	62	51.67
> Non adottato	58	48.33
(I) Adozione per area (n=62)		

> Adottato fino al 25% dell'area	51	84.72
> Adottato nel 26-50 % dell'area	6	9.67
> Adottato nel 51-75 % dell'area	2	12.5
> Adottato in >75% dell'area	3	2.78
(II) Adozione della varietà (n=62)		
> Adottato nella varietà migliorata	12	16.67
> Adottato nella varietà locale	50	83.33
B Gestione delle sementi di grano e mais		
> Adottato	24	20.00
> Non adottati	96	80.00
(I) Adozione per area (n=24)		
> Adottato fino al 25% dell'area	4	16.66
> Adottato nel 26-50 % dell'area	0	0.0
> Adottato nel 51-75 % dell'area	15	62.50
> Adottato in >75% dell'area	5	20.83
(II) Adozione della varietà (n=24)		
> Adottato nella varietà migliorata	3	12.5
> Adottato nella varietà locale	21	87.5

4.3.2 Modello di adozione della produzione e della gestione delle sementi per le colture selezionate.

I dati relativi alle pratiche di gestione delle sementi di riso da parte degli intervistati sono presentati nella Tabella 4.16. I dati indicano che nella preparazione del campo per la coltivazione dei semi di riso, la maggior parte degli agricoltori (77,4%) ha praticato 1-2 arature, mentre il 19,3% ha praticato 2-4 arature e solo il 3,3% ha praticato più di 4 arature. Per quanto riguarda il tasso di semina (trapianto), l'88,72% degli intervistati ha usato

Tabella 4.16: Distribuzione degli intervistati in base al loro modello di adozione della produzione di sementi e delle pratiche di gestione del riso (n=62)

Sl. No. Pratiche di gestione delle sementi	Frequenza	Percentuale
(A) Pratiche di pre-raccolta		
1 Preparazione del campo		
> 1-2 arature	48	77.40
> 2-4 aratura	12	19.30
> Più di 4 arature	2	3.30
2 Tasso di semina (trapianto, kg ha)$^{-1}$		
> Fino a 25 kg	7	11.28

> 25-30 kg	55	88.72
3 Trattamento delle sementi		
> Trattamento chimico	17	27.41
> Con tecniche indigene	45	72.59
4 Letame *		
> Non applicato	12	19.31
> Applicato	50	80.69
> Utilizzare biofertilizzanti	3	4.87
5 Applicazione equilibrata dei fertilizzanti		
> Al di sotto della dose raccomandata	58	93.54
> Alla dose raccomandata	4	6.46
> Più della dose raccomandata	0	0.0
8 Raggirando		
> Non praticato	25	40.32
> praticato una volta	32	51.63
> Pratica due volte	5	8.05
> Pratica più di due volte	0	0.00
9 Diserbo		
> Diserbo manuale	38	61.28
> Per erbicida	24	38.72
(B) Pratiche post-raccolta		
1 Pulizia dell'aia	62	100.0
2 Separazione degli inerti	50	80.64
3 Separazione dei semi di erbe infestanti	55	88.71
4 Riduzione del contenuto di umidità (essiccazione) prima di immagazzinamento	62	100.0
5 Trattamento chimico dei cassonetti	21	33.87
6 Classificazione praticata in base a dimensioni, colore e semi sani laureati	17	27.41
7 Controllo degli insetti dello stoccaggio*		
> Praticato da sostanze chimiche	6	9.65
> praticata dalle foglie di Neem	27	43.55
> Controllo dei roditori	36	58.03
> Uso di fumiganti	18	29.06
8 Marketing(n=120)	58	48.33

*I dati si basano su risposte multiple

25-30 kg ha^{-1} e l'11,28% ha utilizzato sementi fino a 25 kg ha^{-1} . Per quanto riguarda il trattamento dei semi, il 72,59% degli intervistati ha praticato la tecnologia indigena, mentre il 27,41% ha praticato il trattamento chimico. Per quanto riguarda il concime

I dati relativi alle pratiche adottate dagli intervistati per la produzione e la gestione delle sementi di frumento e mais sono presentati nella Tabella 4.17. I dati indicano che la preparazione del campo per la coltivazione delle sementi è stata praticata dalla maggior parte degli agricoltori (75%) con 2-4 arature, mentre il 16,67% ha praticato 1-2 arature e solo l'8,33% ha praticato più di 4 arature. Per quanto riguarda il tasso di semina (grano), il 58,33% degli intervistati ha utilizzato 75-100 kg ha^{-1} e il 41,67% ha utilizzato sementi fino a 75 kg ha^{-1}. Per il mais, il 75% degli intervistati ha usato 15-20 kg ha^{-1} e il 25% ha usato sementi fino a 15 kg ha^{-1}. Per quanto riguarda il trattamento delle sementi, il 45,83% degli intervistati non lo ha praticato, il 41,67% ha utilizzato tecnologie indigene e solo il 12,5% ha praticato trattamenti chimici. Per quanto riguarda l'applicazione di concime, il 58,33% ha applicato fino a 1 tonnellata ha^{-1}, mentre il 41,66% non ha applicato concimi.

Per quanto riguarda l'applicazione di fertilizzanti, l'87,5% degli intervistati ha applicato dosi inferiori a quelle raccomandate e il 12,5% ha applicato dosi pari a quelle raccomandate. Per quanto riguarda la sgrossatura, il 54,17% degli intervistati l'ha praticata 1-2 volte, mentre il 45,83% non l'ha praticata. Per quanto riguarda il diserbo, il 75% ha praticato l'applicazione manuale, il 16,67% quella con erbicidi e l'8,33% non l'ha praticata.

Pulizia dell'aia praticata dal 100% degli intervistati. Separazione degli inerti praticata dal 100% degli intervistati. Separazione dei semi di erbe infestanti praticata dall'87,5% degli intervistati. Riduzione del contenuto di umidità (essiccazione) prima dello stoccaggio, praticata dal 100% degli intervistati. Trattamento chimico dei contenitori praticato dall'83,33% degli intervistati. Classificazione in base a dimensioni, colore e qualità dei semi sani, praticata dal 37,5% degli intervistati. Per quanto riguarda il controllo degli insetti dello stoccaggio, il trattamento chimico è stato praticato dal 33,33% degli intervistati, l'uso di foglie di neem dal 58,33%, il controllo dei roditori dal 70,83% e l'uso di fumiganti dal 25%.

Tabella 4.17: Distribuzione degli intervistati in base al modello di adozione delle pratiche di produzione e gestione delle sementi di grano e mais (n=24)

Sl. No.	Pratiche esistenti di gestione delle sementi	F	P
(A) Pratiche di pre-raccolta			
1 Preparazione del campo			
	> 1-2 arature	4	16.67
	> 2-4 aratura	18	75.00
	> Più di 4 arature	2	8.33
2	Tasso di semina (kg ha^{-1}) Per il grano	10	41.67

	> Fino a 75 kg		
	> 75-100 kg	14	58.33
	Per il mais		
	> Fino al 15	6	25.00
	> 15-20	18	75.00
3	Trattamento delle sementi		
	> Non trattamento	11	45.83
	> Trattamento con sostanze chimiche	3	12.5
	> Con tecniche indigene	10	41.67
4	Letame		
	> Non applicato	10	41.66
	> Applicato	14	58.33
5	Applicazione equilibrata dei fertilizzanti		
	> Al di sotto della dose raccomandata	21	87.5
	> Alla dose raccomandata	3	12.5
6	Raggirando		
	> Non praticato	11	45.83
	> 1 -2 volte	13	54.17
7	Diserbo		
	> Non praticato	2	8.33
	> Diserbo manuale	18	75.0
	> Per erbicida	4	16.67
(B) Pratiche post-raccolta			
1	Pulizia dell'aia	24	100
2	Separazione di materiale inerte	24	100
3	Separazione dei semi di erbe infestanti	21	87.5
4	Riduzione del contenuto di umidità (essiccazione) prima dello stoccaggio	24	100
5	Trattamento chimico dei cassonetti	20	83.33
6	Classificazione praticata in base a dimensioni, colore e semi sani	9	37.5
7	Controllo degli insetti dello stoccaggio*		
	> Praticato da sostanze chimiche	8	33.33
	> praticata dalle foglie di Neem	14	58.33
	> Controllo dei roditori	17	70.83
	> Uso di fumiganti	6	25.00
8	Marketing (n=120)	96	80.00

Tabella 4.18: Strutture di stoccaggio delle sementi esistenti tra gli intervistati per lo stoccaggio dei semi

Sl. No.	Struttura di stoccaggio	Utilizzato per lo stoccaggio di	
		Semi di riso	Semi non di riso
1	Contenitori di fango (Kaccha kothi)	33 (27.50)	21 (17.50)
2	Bidoni cementati (Pacca kothi)	4 (3.33)	3 (2.50)
3	Cestino in bambù	0 (0.00)	4 (3.33)
4	Sacchetti di plastica	55 (45.83)	33 (27.50)
5	Sacchi di nylon	38 (31.66)	24 (20.00)
6	Tamburo	11 (9.16)	3 (2.50)
7	Vaso di terracotta	2 (1.66)	4 (3.33)
8	Deposito di stoccaggio	5 (4.16)	0 (0.00)
9	Thekka	6 (5.00)	10 (8.33)
10	I semi sono appesi a bastoncini di legno	0 (0.00)	12 (10.00)
11	Nel caso di alcuni semi di ortaggi (zucca da tavola, zucca ricca) i semi vengono conservati nei frutti stessi senza essere separati.	0 (0.00)	18 (15.00)

Le cifre tra parentesi sono percentuali *I dati si basano su risposte multiple

4.3.3 Modello di struttura di stoccaggio dei semi

La tabella 4.18 illustra la struttura di stoccaggio delle sementi degli intervistati per quanto riguarda la gestione delle sementi. I dati rivelano che la maggior parte degli intervistati (45,83%) ha utilizzato sacchi di plastica per la conservazione dei semi di riso. Seguono il 31,66% di sacchi di tela, il 27,5% di bidoni di fango (kaccha kothi), il 9,16% di fusti, il 5% di Thekka, il 4,16 di depositi, il 3,33% di bidoni cementati e l'1,66% di vasi di terra. I dati sulla struttura di stoccaggio delle sementi non di riso rivelano che la maggior parte degli intervistati (27,5%) ha utilizzato sacchi di plastica per lo stoccaggio delle sementi. Le altre strutture di stoccaggio utilizzate dagli intervistati sono: il 20% di sacchi di tela, il 17,5% di bidoni di fango (kaccha kothi), il 2,5% di bidoni, l'8,33% di contenitori di terra.

Thekka, il 2,5% di bidoni cementati e il 3,33% di vasi di terra, il 3,33% di bidoni di bambù, il 10% di semi appesi a bastoncini di legno, il 15% di semi di alcuni ortaggi sono conservati nei frutti stessi senza separazione.

4.4 Variabile dipendente

4.4.1 Rapporto di sostituzione del seme

La Tabella 4.19 e le Figure 4.4 e 4.5 riflettono il tasso medio di sostituzione delle sementi delle colture selezionate tra gli intervistati dal 2010 al 2014. In media, il 56,16% degli intervistati ha seguito la sostituzione delle sementi nel riso, seguito dal 29,34% nel mais e dal 21,52% nel grano. Per quanto riguarda il tasso medio di sostituzione delle sementi delle colture selezionate, i dati rivelano che per il riso il SRR è stato del 52,80%, del 23,14% per il grano e del 48,16% per il mais.

Tabella 4.19: Tasso di sostituzione delle sementi tra gli intervistati per le colture selezionate

	Anno	Numero di intervistati che sostituiscono le sementi		Area (ha.)		Tasso di sostituzione (%)
		F	P	Area ritagliata	Area sostituita	
1	Il riso					
	2010	58	48.33	206.07	91.90	44.59
	2011	59	49.17	231.98	126.72	54.65
	2012	69	57.50	229.55	125.50	54.64
	2013	70	58.33	233.60	125.50	53.74
	2014	81	67.50	294.73	166.39	56.46
	Media		56.16	239.19	127.20	52.80
2	Grano					
	2010	17	14.17	52.22	9.31	17.86
	2011	23	19.17	53.84	10.93	20.38
	2012	26	21.67	53.84	14.57	27.07
	2013	31	25.83	72.87	17.00	23.33
	2014	32	26.67	74.89	20.24	27.03
	Media		21.52	61.53	14.41	23.14
3	Mais					
	2010	24	20.00	27.12	7.28	26.84
	2011	27	22.50	30.36	11.33	37.33

2012	38	31.67	41.70	22.67	54.34
2013	42	35.00	51.01	31.57	61.99
2014	45	37.50	57.48	34.81	60.58
Media		29.34	41.53	21.53	48.16

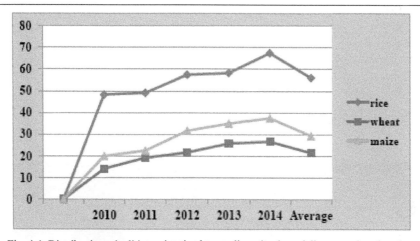

Fig. 4.4: Distribuzione degli intervistati sul tasso di sostituzione delle sementi tra le colture selezionate

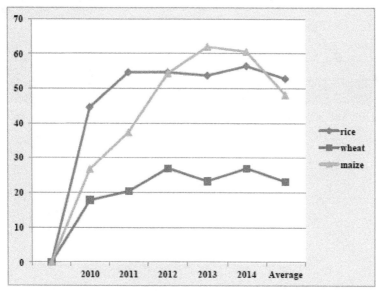

Fig 4.5: Tasso di sostituzione delle sementi tra gli intervistati per le colture selezionate

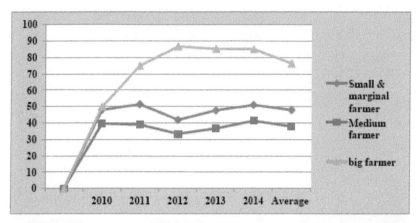

Fig 4.6: SRR nelle colture di riso tra piccoli e marginali, medi e grandi agricoltori

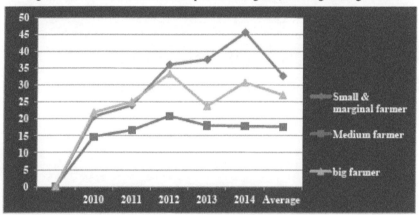

Fig 4.7: SRR nelle colture di grano tra piccoli e marginali, medi e grandi agricoltori

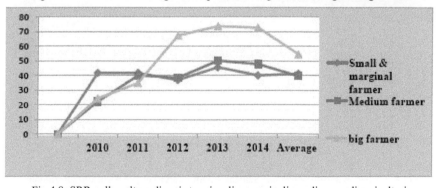

Fig 4.8: SRR nelle colture di mais tra piccoli e marginali, medi e grandi agricoltori

Tabella 4.20: Rapporto di sostituzione delle sementi negli anni selezionati per varie colture tra le diverse categorie di agricoltori

Sl. No.	Coltura	Piccoli agricoltori e agricoltori marginali			Agricoltori medi			Grandi agricoltori		
	Anno	Area ritagliata	Area sostituta	SRR	Area ritagliata	Area sostituta	SRR	Area ritagliata	Area sostituta	SRR
1	Il riso									
	2010	30.36	14.57	48.00	100	39.67	39.66	75.70	37.65	49.72
	2011	29.14	14.97	51.39	112.14	43.72	38.98	90.68	68.01	75.0
	2012	39.67	16.59	41.89	104.45	34.81	33.33	85.42	74.08	86.72
	2013	34.81	16.59	47.66	124.69	45.74	36.69	74.08	63.15	85.24
	2014	57.08	29.14	51.09	148.17	61.13	41.26	101.61	76.11	85.03
	Media	38.21	18.37	47.96	117.89	45.01	37.92	85.49	63.8	76.34
2	Grano									
	2010	11.74	2.42	20.67	27.53	4.04	14.75	12.95	2.83	21.85
	2011	10.12	2.42	24.00	29.14	4.85	16.67	14.57	3.64	25.00
	2012	10.12	3.64	36.00	29.14	6.07	20.83	14.57	4.85	33.33
	2013	12.95	4.85	37.5	36.03	6.47	17.99	23.88	5.66	23.76
	2014	13.36	6.07	45.45	36.43	6.47	17.80	25.10	7.69	30.69
	Media	11.65	3.88	32.64	31.65	5.58	17.68	18.21	4.93	26.96
3	Mais									
	2010	4.85	2.02	41.67	7.28	1.61	22.22	14.97	3.64	24.32
	2011	4.85	2.02	41.67	8.09	3.23	40.00	17.40	6.07	34.83
	2012	7.69	2.83	36.86	10.52	4.04	38.46	23.48	15.78	67.24
	2013	8.90	4.04	45.45	14.57	7.28	50.00	27.53	20.24	73.56
	2014	8.09	3.23	40.00	17.00	8.09	47.62	32.38	23.48	72.5
	Media	6.87	2.82	41.08	11.49	4.85	39.54	23.15	13.84	54.49

Nell'anno 2011-12, in India, il rapporto di sostituzione delle sementi nelle diverse colture: riso 40,42, grano 32,55, mais 56,58, gram 19,35, urd 34,41, moong 30,29, arhar 22,16, arachide 78,88, jowar 23,85, bajra 60,4 e soia è pari al 32,47% (fonte: http://www.seednet.gov.in).

La Tabella 4.20 e le Figure 4.6, 4.7 e 4.8 rivelano il rapporto di sostituzione delle sementi tra i diversi agricoltori nelle colture selezionate tra il 2010 e il 2014. La superficie media totale, la superficie sostituita e il tasso di sostituzione delle sementi per le colture di riso tra i piccoli agricoltori e gli agricoltori marginali sono stati di 38,21 ettari, 18,37 ettari e 47,96 per cento, per gli agricoltori medi 117.8 ha, 45 ha, 38% e per i grandi agricoltori rispettivamente 85,49 ha, 63,8 ha, 76,34%. Per quanto riguarda la coltura del grano, la superficie totale media, la superficie sostituita e il tasso di sostituzione delle sementi tra gli agricoltori piccoli e marginali sono stati rispettivamente di 11,65 ha, 3,88 ha, 32,64 per cento, per gli agricoltori medi di 31,65 ha, 5,58 ha, 17,68 per cento e per i grandi agricoltori di 18,21 ha, 4,93 ha, 26,96 per cento. Per quanto riguarda il mais, la superficie media totale, la superficie sostituita e il tasso di sostituzione delle sementi tra gli agricoltori piccoli e marginali sono stati rispettivamente di 6,87 ha, 2,82 ha, 41,08 per cento, per gli agricoltori medi di 11,49 ha, 4,8 ha, 39,54 per cento e per i grandi agricoltori di 23,15 ha, 13,84 ha, 54,49 per cento.

Tabella 4.21: Tasso di sostituzione delle sementi tra le diverse categorie di intervistati in colture selezionate

Sl. No.	Categorie di agricoltori	Numero di rispondenti		Area (ha.)		SRR (%)
		F	P	Area ritagliata	Area sostituita	
1 Riso						
>	Piccoli agricoltori e agricoltori marginali	37	30.83	38.21	18.38	47.96
>	Medio	54	45.0	117.89	45.02	37.92
>	Grandi agricoltori	29	24.17	85.50	63.80	76.34
2 Grano						
>	Piccoli agricoltori e agricoltori marginali	6	5.00	11.65	3.88	32.64
>	Medio	12	10.0	31.65	5.58	17.68
>	Grandi agricoltori	18	15.0	18.21	4.93	26.96
3 Mais						
>	Piccoli agricoltori e agricoltori marginali	14	11.67	6.88	2.83	41.08
>	Medio	27	22.50	11.49	4.85	39.54
>	Grandi agricoltori	21	17.50	23.15	13.84	54.49

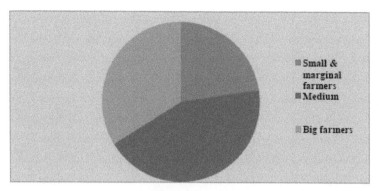

Fig 4.9: Coinvolgimento delle diverse categorie di intervistati nel tasso di sostituzione delle sementi tra le colture di riso

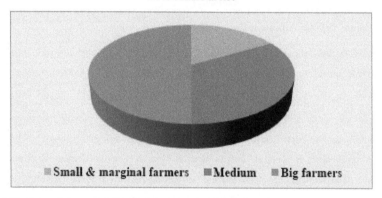

Fig 4.10: Coinvolgimento delle diverse categorie di intervistati nel tasso di sostituzione delle sementi tra le colture di frumento

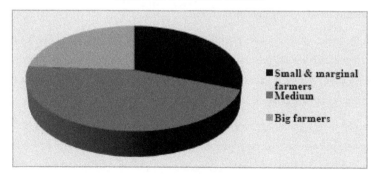

Fig 4.11: Coinvolgimento delle diverse categorie di intervistati nel tasso di sostituzione delle sementi tra le colture di mais

Da questi dati è emerso che il tasso medio di sostituzione delle sementi è stato più alto nel riso (76,34%), seguito dal mais (54,49%) tra i grandi agricoltori e più basso nel grano (32,64%) tra i piccoli e marginali agricoltori.

La Tabella 4.21 e le Figure 4.9, 4.10 e 4.11 indicano il coinvolgimento degli intervistati nel tasso di sostituzione delle sementi per le colture selezionate. Per quanto riguarda la coltura del riso, la media più alta di SRR è stata del 76,34% tra i grandi agricoltori (24,17% di coinvolgimento), seguita dai piccoli e marginali 47,96% (30,83% di coinvolgimento) e la più bassa dai medi agricoltori 37,92% (45% di coinvolgimento). Nella coltura del grano, il SRR medio più alto è stato del 32,64 per cento tra i piccoli e marginali agricoltori (5 per cento di coinvolgimento), seguito dai grandi agricoltori 26,96 per cento (15 per cento di coinvolgimento) e il più basso dai medi agricoltori 17,68 per cento (10 per cento di coinvolgimento) e nella coltura del mais il SRR medio più alto è stato del 54,49 per cento tra i grandi agricoltori (17,5 per cento di coinvolgimento), seguito dai piccoli e marginali agricoltori 41,08 per cento (11,67 per cento di coinvolgimento) e il più basso dai medi agricoltori 39,54 per cento (22,5 per cento di coinvolgimento).

4.4.2 Estensione del tasso di sostituzione delle sementi

Per determinare l'entità del tasso di sostituzione delle sementi tra le diverse categorie di intervistati nelle colture selezionate, sono stati applicati il test Z e il test T e i risultati sono stati presentati nella tabella 4.22.

I dati rivelano che nella coltura del riso gli agricoltori marginali e piccoli hanno un tasso di sostituzione delle sementi significativamente più alto rispetto agli agricoltori medi, poiché il valore Z' è risultato significativo al livello di probabilità 0,01. I grandi agricoltori hanno registrato un tasso di sostituzione delle sementi significativamente più elevato rispetto ai medi agricoltori e anche ai marginali e ai piccoli agricoltori, poiché il valore Z' è risultato significativo. Ciò può essere dovuto al fatto che i grandi agricoltori avevano una superficie totale coltivata più elevata, e tutte le tecniche e gli altri input migliorati rispetto agli altri agricoltori.

Nella coltura del grano, gli agricoltori piccoli e marginali hanno registrato un tasso di sostituzione delle sementi significativamente più alto rispetto agli agricoltori grandi e medi, poiché il valore T' è risultato significativo. Inoltre, i grandi agricoltori hanno registrato un tasso di sostituzione delle sementi significativamente più elevato rispetto ai medi agricoltori.

Nella coltura del mais, i grandi agricoltori hanno registrato un tasso di sostituzione delle sementi significativamente più elevato rispetto ai piccoli e marginali agricoltori e ai medi agricoltori, poiché il valore T' è risultato significativo. Inoltre, gli agricoltori piccoli e marginali hanno registrato un tasso di sostituzione delle sementi significativamente più elevato rispetto agli agricoltori grandi e medi.

Tabella 4.22: Test di significatività sull'entità del tasso di sostituzione delle sementi nelle colture selezionate tra le diverse categorie di intervistati

Dettagli	Piccolo e marginale	Medio	Grande
Il riso			
Frequenza	41	50	29
Media	48.00	37.98	76.34
Deviazione standard	3.82	3.07	15.59
Valore Z' (piccolo e marginale vs. medio)	3.24**		4.50**
(medio o grande)			
Piccolo agricoltore marginale vs grande agricoltore)		18.28**	
Grano			
Frequenza	4	12	18
Media	32.72	17.60	26.92
Deviazione standard	9.13	1.98	4.35
Valore T' (piccolo e marginale vs. medio)	5.10**		7.02**
(medio e grande)			
Piccolo agricoltore marginale e grande agricoltore)		1.82*	
Mais			
Frequenza	14	27	21
Media	41.13	39.66	54.49
Deviazione standard	3.11	10.90	23.16
Valore T' (piccolo e marginale vs. medio)	0.56		3.29**
(medio e grande)			
Piccolo agricoltore marginale e grande agricoltore)		2.17*	

Livello di significatività Z'test 0,01 livello di probabilità (1,96)

Livello di significatività T'test 0,05 e 0,01 livello di probabilità e $n_1 + n_2 -2$ (d.f.)

4.4.3 Analisi di correlazione e regressione multipla delle variabili indipendenti con il rapporto di sostituzione delle sementi delle principali colture

L'analisi di correlazione e regressione multipla è stata utilizzata per determinare la relazione tra le variabili e per scoprire il contributo di diverse variabili indipendenti nell'entità del rapporto di sostituzione delle sementi delle principali colture. I risultati sono presentati nella tabella 4.23. I risultati hanno rivelato che su 14 variabili indipendenti, solo 5 variabili, ossia l'acquisizione di credito, la fonte di informazione e l'uso di un'informazione di base, hanno contribuito a creare un rapporto di sostituzione delle sementi con le colture principali,

Tabella 4.23: Coefficiente di correlazione e analisi di regressione multipla variabili indipendenti con la variabile dipendente rapporto di sostituzione delle sementi nelle colture di riso.

Sl.	Variabili	Coefficiente di	Coefficiente di regressione

No.		correlazione		
		"Valore "r	"Valore "b	Valore "t
1	Istruzione	0,141 NS	0,424 NS	1.134
2	Dimensione della famiglia	0,109 NS	-0,170 NS	-0.185
3	Partecipazione all'estensione	-0,055 NS	-0,678 NS	-0.523
4	Occupazione	0,055 NS	0,119 NS	0.063
5	Acquisizione del credito	0.169*	4,330 NS	1.475
6	Proprietà terriera	0,086 NS	0,327 NS	1.037
7	Esperienza agricola	0,047 NS	-0,22 NS	-0.973
8	Impianto di irrigazione	0,029 NS	-0,004 NS	-0.001
9	Fonte delle informazioni	0.194*	2.191**	2.964
10	Cosmopolitica	0.195*	2,174 NS	1.022
11	Partecipazione di genere	0,123 NS	0,139 NS	0.515
12	Disponibilità di sementi	0,089 NS	1,231 NS	0.253
13	Fonti di semi	0.228**	8.356**	2.731
14	Reddito annuo	0.583**	9.033**	5.367

**Significativo a livello di probabilità 0,01 *Significativo a livello di probabilità 0,05 NS = Non significativo $R^2 = 0,689545$ F valore di R = 11,58136

cosmopolitismo, fonti di sementi e reddito annuo sono risultati positivi e significativamente correlati con il tasso di sostituzione delle sementi degli intervistati; di queste variabili solo le fonti di sementi e il reddito annuo sono risultati correlati al livello di probabilità 0,01, mentre le altre sono risultate significative al livello di probabilità 0,05. Le restanti 9 variabili non hanno indicato una relazione significativa con il tasso di sostituzione delle sementi.

Nel caso dell'analisi delle regressioni multiple su 14 variabili, solo 3 variabili

i.Le restanti 11 variabili, ovvero istruzione, partecipazione sociale, partecipazione all'attività di divulgazione, dimensione della famiglia, occupazione, proprietà terriera, esperienza agricola, impianto di irrigazione, cosmopolitismo, partecipazione di genere e acquisizione di credito, non hanno mostrato alcun contributo significativo nel tasso di sostituzione delle sementi degli agricoltori. Tuttavia, tutte le 14 variabili inserite nel modello mostrano un contributo del 68,9% nel tasso di sostituzione delle sementi tra gli intervistati.

Si può quindi concludere che, per aumentare il tasso di sostituzione delle sementi tra gli intervistati, occorre concentrarsi sull'aumento del reddito annuo offrendo varie opportunità e fornendo informazioni al momento giusto con la garanzia della disponibilità di sementi nel villaggio.

4.5 Vincoli incontrati dagli intervistati nell'adozione della gestione e della sostituzione delle sementi

In questo studio si è cercato di identificare i vincoli che sono responsabili della mancata adozione delle pratiche di gestione e sostituzione delle sementi. I vincoli segnalati dagli intervistati sono stati raggruppati in due categorie: vincoli nella sostituzione delle sementi e vincoli nella gestione delle sementi.

4.5.1 Vincoli nella sostituzione delle sementi

I dati riportati nella Tabella 4.24 mostrano che la mancanza di informazioni sulle nuove varietà è stata riscontrata dal 41,67% degli intervistati come vincolo principale, seguita dal secondo vincolo principale, l'inadeguatezza delle informazioni sulla sostituzione delle sementi, riscontrata dal 40% degli intervistati, e dal terzo vincolo, il costo elevato della sostituzione delle sementi, riscontrato dal 39,17% degli intervistati. Altri vincoli sono seguiti dal 31,17% di non disponibilità di sementi e altri input nel villaggio, dal 30,83% di altre persone nel villaggio che non adottano nuove sementi, dal 24,17% di mancanza di motivazione per l'adozione di nuove sementi, dal 22,5% di semi desiderati non disponibili al momento giusto e dal 4,17% di semi di ricambio inutili.

4.5.2 Vincoli nella gestione delle sementi

I dati riportati nella Tabella 4.24 rivelano che il 50% degli intervistati ritiene che la mancanza di impianti di irrigazione sia il principale ostacolo, seguito dal 46,67% di mancanza di conoscenze complete sulle pratiche di gestione delle sementi, dal 45% di mancanza di strutture di stoccaggio migliori, dal 42,5% di scarsità di denaro per l'acquisto dei fattori di produzione, dal 31,67% di fluttuazione dei prezzi delle colture e da un reddito basso.

Tabella 4.24: Intervistati in base ai vincoli incontrati nell'adozione della sostituzione delle sementi e della gestione delle sementi

Sl. No.	Vincoli	F*	P
	Un vincolo nella sostituzione dei semi		
1	La sostituzione delle sementi è molto costosa	47	39.17
2	La sostituzione dei semi è inutile	5	4.17
3	I semi del desiderio non sono disponibili al momento giusto	27	22.5
4	Informazioni inadeguate sulla sostituzione delle sementi	48	40.00
5	Mancanza di informazioni sulle nuove varietà	50	41.67
6	Mancanza di motivazione all'adozione di nuove sementi	29	24.17
7	Gli altri abitanti del villaggio non adottano i nuovi semi	37	30.83
8	Mancata disponibilità di sementi e altri fattori di produzione nel	38	31.17

villaggio.

B Vincoli nella gestione delle sementi

1	Gli insetticidi e i pesticidi sono molto costosi.	27	22.5
2	Scarsità di denaro per l'acquisto dei fattori produttivi	51	42.5
3	Fluttuazione dei prezzi delle colture	38	31.67
4	Basso reddito in agricoltura	38	31.67
5	Meno impianti di irrigazione	60	50.00
6	Scarsa fertilità e qualità del suolo	35	29.17
7	Danni alle colture a causa della mancanza di conoscenze sulle previsioni meteorologiche	36	30.00
8	Attacco elevato di insetti e malattie nelle colture	19	15.83
9	Mancanza di conoscenze complete sulle pratiche di gestione delle sementi	56	46.67
10	Minore germinazione dei semi sostituiti	35	29.17
11	Meno informazioni su nuove tecniche e varietà.	5	4.17
12	Mancanza di strutture di formazione sulla gestione delle sementi	12	10.00
13	Mancanza di strutture di stoccaggio migliori	54	45.00
14	Carenza e indisponibilità tempestiva di manodopera agricola	26	21.67

*I dati si basano su risposte multiple

agricoltura, il 30% di danni alle colture a causa della mancanza di conoscenze sulle previsioni meteorologiche, il 29,17% di scarsa fertilità e qualità del suolo, il 22,5% di insetticidi e pesticidi molto costosi, il 21,67% di carenza e indisponibilità tempestiva di manodopera agricola, il 15,83% di attacchi di insetti e malattie alle colture, il 10% di mancanza di formazione sulla gestione delle sementi e il 4,17% di minori informazioni su nuove tecniche e varietà.

Tabella 4.25: Suggerimenti forniti dagli agricoltori per minimizzare i vincoli nell'adozione della gestione e della sostituzione delle sementi

Sl. No.	Suggerimento	F*	P
1	Dovrebbe essere disponibile un impianto di irrigazione	65	54.17
2	Dovrebbe essere previsto un impianto di analisi del suolo	48	40.00
3	Disponibilità tempestiva di manodopera e sviluppo di nuove tecniche per ridurre il fabbisogno di manodopera.	38	31.67
4	È necessario fornire informazioni regolari e tempestive sui vari aspetti della gestione delle sementi.	51	42.50
5	Le informazioni su insetti e malattie devono essere fornite al momento giusto.	18	15.00
6	Le previsioni del tempo dovrebbero essere disponibili	34	28.33
7	I vari fattori di produzione, come le sementi, i fertilizzanti, ecc.	48	40.00

devono essere disponibili nei villaggi al momento giusto.

8	È necessario organizzare un programma di formazione regolare sulla gestione delle sementi	18	15.00
9	Migliorare La struttura di stoccaggio dovrebbe essere fornita	34	28.33
10	Dovrebbe essere previsto un sussidio per l'acquisto di input per la gestione delle sementi.	29	24.17
11	Gli strumenti essenziali devono essere disponibili su basi haring personalizzate.	15	12.5

*I dati si basano su risposte multiple

4.6 Suggerimenti forniti dagli agricoltori per l'adozione della gestione e della sostituzione delle sementi

Al fine di rimuovere i vincoli che si frappongono all'adozione della gestione e della sostituzione delle sementi, gli intervistati hanno proposto dei suggerimenti. I risultati ottenuti sono presentati sotto forma di frequenza e percentuale nella Tabella 4.25. La maggior parte (54,17%) degli agricoltori ha suggerito di rendere disponibile l'impianto di irrigazione. Circa il 42,50% degli agricoltori ha suggerito di organizzare un programma di formazione regolare sulla gestione delle sementi. Circa il 40% degli agricoltori ha suggerito di effettuare test sulla fertilità del suolo e di rendere disponibili in tempo utile nel villaggio vari input come sementi, fertilizzanti ecc. Circa il 31,67% degli agricoltori ha dichiarato che è necessario garantire la disponibilità di manodopera in tempo utile e sviluppare nuove tecniche per ridurre il fabbisogno di manodopera. Il 28,33% degli agricoltori ha suggerito di rendere disponibili le previsioni del tempo e di migliorare le strutture di stoccaggio, il 24,17% ha suggerito di fornire sussidi per l'acquisto di sementi, il 17,5% ha suggerito di rendere disponibili nel villaggio sementi e altri input e il 15% ha suggerito di fornire informazioni su insetti e malattie in tempo utile.

CAPITOLO - 5

SINTESI E CONCLUSIONI

Lo scopo principale di questo capitolo è quello di riassumere i risultati e di esporre le conclusioni sulla base dell'analisi preventiva e di indicare alcune delle loro implicazioni per le azioni.

La presente ricerca, intitolata **"Study on seed management pattern among the tribal farmers of Northern Hills Agro-Climatic Zone of Chhattisgarh state"**, è stata condotta nel 2014 presso l'Indira Gandhi Krishi Vishvavidyalaya, Raipur (C.G.) con i seguenti obiettivi:

1. Studiare il profilo socio-economico degli agricoltori tribali,

2. Studiare il livello di conoscenza degli agricoltori sulle pratiche di gestione delle sementi,

3. Studiare le pratiche di gestione delle sementi seguite dagli agricoltori tribali nelle principali colture,

4. Analizzare il rapporto di sostituzione delle sementi delle principali colture tra gli agricoltori,

5. Scoprire i problemi affrontati dagli agricoltori nella gestione delle sementi,

6. Ottenere i suggerimenti degli agricoltori tribali per superare i problemi da loro affrontati.

L'agricoltura occupa un ruolo molto importante nell'economia indiana e nazionale. Nel 2012-13, il contributo dell'agricoltura al prodotto interno lordo nazionale è stato del 13,7%. I semi svolgono un ruolo fondamentale nella storia dell'uomo e dell'agricoltura. Gli esseri umani preistorici sono stati i primi a riconoscere il valore dei semi come materiale di piantagione. Da allora i semi svolgono un ruolo centrale nello sviluppo agricolo. La Commissione Reale per l'Agricoltura, istituita nel 1925, raccomandò l'introduzione e la diffusione di varietà di colture migliorate, e da qui iniziò la revisione dell'importanza delle sementi e della loro commercializzazione. La produzione organizzata di sementi nel Paese è diventata possibile con la formazione della National Seed Corporation (NSC) nel 1963, che ha aperto la strada a una solida industria delle sementi. La NSC è stata la prima agenzia a certificare le sementi di tutte le colture. Successivamente, la legge sulle sementi del 1966 è stata promulgata dal Parlamento come mezzo per proteggere la qualità delle sementi e le regole sulle sementi del 1968 sono entrate in vigore in tutto il Paese a partire dall'ottobre dello stesso anno per regolamentare le questioni relative alle sementi.

Nello Stato del Chhattisgarh, durante l'anno 2013-14, l'area totale seminata a risone è stata di 3695,00 (000 ha), la distribuzione di sementi è stata di 595473,00 q e il tasso di sostituzione delle sementi è stato del 40,29 per cento, che è stato aumentato nell'anno 2014-15, dove l'area totale è stata di 3645,00 (000 ha), la distribuzione di sementi è stata di 631765,00 e il tasso di sostituzione delle sementi è stato del 43,33 per cento, (Direzione dell'Agricoltura). Nella coltura del mais durante l'anno 2014-15,

72

il tasso di sostituzione delle sementi è stato del 55,44, la distribuzione delle sementi è stata di 21623,00 q. la superficie totale indicata è stata di 260,00 (000 ha). Nella coltura del grano, durante l'anno 2014-15, il tasso di sostituzione delle sementi è stato del 35,22, la distribuzione delle sementi è stata di 53180,00 q. La superficie totale indicata è stata di 147,00 (000 ha).

Il presente studio è stato condotto nei distretti di Surguja e Surajpur, che rientrano nella zona agroclimatica delle colline settentrionali dello Stato del Chhattisgarh. Dei blocchi totali di entrambi i distretti, sono stati selezionati solo tre blocchi. Dei villaggi totali, solo otto sono stati selezionati in modo mirato per questo studio. Da ogni villaggio selezionato, sono stati scelti appositamente 15 agricoltori tribali. In totale, quindi, 120 (8*15) agricoltori tribali sono stati considerati come intervistati per il presente studio. I dati sono stati raccolti con l'aiuto di un programma di interviste ben strutturato e pretestato, attraverso un colloquio personale.

Le variabili indipendenti incluse nello studio erano di tipo socio-personale (età, istruzione, dimensione della famiglia, partecipazione sociale, esperienza agricola e partecipazione alle attività di divulgazione), socio-economico (occupazione, possesso di terreni, acquisizione di crediti, reddito annuale, fonte di reddito, impianto di irrigazione) e comunicazionale (fonti di informazione, cosmopolitismo). Altre variabili sono state la partecipazione di genere alla gestione delle sementi, le fonti di semi e la disponibilità di semi. Il rapporto di sostituzione delle sementi degli agricoltori è stato considerato come variabile dipendente per questo studio. I dati sono stati raccolti attraverso interviste personali e analizzati con metodi statistici appropriati.

I principali risultati di questo studio sono riassunti come segue:
Variabili indipendenti

Le caratteristiche socio-personali degli intervistati indicano che la maggior parte di essi (46,67%) apparteneva alla fascia d'età media (36-50 anni) e la maggior parte (40%) aveva un'istruzione fino alla classe primaria (fino alla quinta classe). La maggior parte (51,67%) degli intervistati aveva una famiglia di medie dimensioni (da 6 a 10 membri). La maggior parte degli intervistati era membro di un'organizzazione con un'esperienza agricola tra i 16 e i 30 anni. La maggior parte degli intervistati ha partecipato alla discussione con l'agente di divulgazione.

Gli studi hanno indicato che la maggior parte degli intervistati apparteneva alla categoria media (2,1-4). Nell'area di studio il 56,67% degli intervistati disponeva di impianti di irrigazione e la principale fonte di irrigazione era il pozzo (58,82%). Nell'area di studio, il 100% degli intervistati era impegnato nell'agricoltura come occupazione principale o secondaria. Per quanto riguarda il reddito annuale, la maggior parte degli intervistati aveva un reddito annuale fino a 5.000 rupie.

Per quanto riguarda l'acquisizione di credito, la maggior parte degli intervistati (65%) ha acquisito credito e il 49,17% lo ha acquisito dalla società cooperativa per una durata massima di 6 mesi per l'acquisto di fertilizzanti e altri strumenti o fattori produttivi. La maggior parte degli intervistati aveva un credito fino a 10000-20000 rupie.

Circa l'86,67% o il 64,17% degli intervistati ha ottenuto informazioni sulla gestione delle sementi rispettivamente dall'addetto all'estensione dell'agricoltura rurale (RAEO) e dalla radio. La maggior parte degli intervistati (60,83%) ha utilizzato >5 fonti di informazione. Nell'area di studio, il 47,50% degli intervistati ha una cosmopolitica media (una volta alla settimana).

La partecipazione di genere alle pratiche di gestione delle sementi ha visto il coinvolgimento della maggior parte delle donne. Ma in alcune pratiche di gestione sono stati coinvolti sia uomini che donne. Per quanto riguarda l'utilizzo di diverse fonti di sementi, il 35 e il 29,17% degli intervistati ha utilizzato rispettivamente la cooperazione statale per le sementi e gli scambi di sementi tra agricoltori.

Per quanto riguarda la disponibilità tempestiva delle sementi, il 48,33% le aveva sempre disponibili, il 44,17% non le aveva disponibili, il 72,5% aveva semi parzialmente puri. Circa il 65% degli intervistati ha acquistato semi che erano costosi, la maggior parte degli intervistati non aveva disponibilità di semi secondo le proprie esigenze e il 54,17% aveva semi nel proprio villaggio. Il grado di conoscenza complessivo era del 60,32% e il divario di conoscenza del 39,68%.

Circa l'83,33% degli intervistati ha prodotto e gestito le proprie sementi in varietà locali, coltivate in meno del 25% della superficie. La maggior parte degli intervistati ha praticato 1-2 arature, da 25 a 30 kg ha -1 di sementi, il 40,35% ha adottato tecniche indigene, la maggior parte degli intervistati ha utilizzato fertilizzanti, concimi e diserbo. Gli intervistati hanno praticato la pulizia della farina di trebbiatura, la separazione degli inerti e dei semi di piante infestanti, l'essiccazione, il trattamento dei contenitori, la classificazione e il trattamento degli insetti. Per quanto riguarda la struttura di stoccaggio dei semi, la maggior parte degli intervistati (45,83%) ha utilizzato sacchi di plastica per la conservazione dei semi di riso, seguiti dal 31,66% di sacchi di tela e dal 27,5% di bidoni di fango (kaccha kothi). Per quanto riguarda la struttura di stoccaggio dei semi non di riso, la maggior parte degli intervistati (27,5%) ha utilizzato sacchi di plastica, mentre il 10% ha appeso i semi a bastoni di legno. Circa il 15% degli intervistati ha conservato i semi di ortaggi nella frutta stessa senza separarli.

Variabile dipendente

Per quanto riguarda il tasso di sostituzione delle sementi degli intervistati nelle colture selezionate tra il 2010 e il 2014, il rapporto medio di sostituzione delle sementi è stato registrato nella coltura del riso con il 52,80%, nel grano con il 23,14% e nel mais con il 48,16%.

Per quanto riguarda il tasso di sostituzione delle sementi nelle diverse categorie di intervistati nella coltura del riso, ossia grandi agricoltori, piccoli e marginali agricoltori e medi agricoltori, il tasso di sostituzione delle sementi è stato del 76,34%, 47,96% e 37,92%, mentre il coinvolgimento degli intervistati è stato rispettivamente del 24,17%, 30,83% e 45%. Nella coltura del frumento la SRR media è stata del 32,64%, del 17,68% e del 26,96% e il coinvolgimento degli intervistati è stato rispettivamente del 5, 10 e 15 per cento da parte di agricoltori piccoli e marginali, medi e grandi. Per quanto riguarda il mais, la SRR media è stata del 41,08%, del 39,54%, del 54,49% e il coinvolgimento degli intervistati è stato dell'11,57, 22,5, 17,5% rispettivamente da parte di piccoli e marginali, medi e grandi agricoltori.

Analisi di correlazione e regressione multipla

Il risultato ha rivelato che su 14 variabili indipendenti, solo 5 variabili

i.Le variabili "acquisto di crediti", "fonti di informazione", "cosmopolitismo", "fonti di sementi" e "reddito annuo" sono risultate positive e significativamente correlate con il tasso di sostituzione delle sementi degli intervistati, mentre le restanti 9 variabili non hanno indicato una relazione significativa con il tasso di sostituzione delle sementi. Nel caso dell'analisi di regressione multipla, su 14 variabili, solo 3 variabili, ossia le fonti di informazione, le fonti di semi e il reddito annuale, hanno contribuito in modo positivo e significativo al tasso di sostituzione dei semi degli intervistati. Le restanti 11 variabili non hanno indicato alcun contributo significativo nel tasso di sostituzione delle sementi degli agricoltori. Tuttavia, tutte le 14 variabili inserite nel modello mostrano un contributo del 68,9% nel tasso di sostituzione delle sementi tra gli intervistati.

Vincoli e suggerimenti

I vincoli segnalati dagli intervistati sono stati raggruppati in due categorie: vincoli nella sostituzione delle sementi e vincoli nella gestione delle sementi. Per quanto riguarda i vincoli nella sostituzione delle sementi, la mancanza di informazioni sulle pratiche di gestione delle sementi è stata segnalata dal 41,67% degli intervistati come vincolo principale. Altri vincoli sono stati: informazioni inadeguate sulla sostituzione delle sementi, la sostituzione delle sementi è molto costosa, la mancata disponibilità di sementi e altri fattori di produzione nel villaggio, la mancata adozione di nuove sementi da parte di altre persone nel villaggio, la mancanza di motivazione all'adozione di nuove sementi, l'indisponibilità delle sementi desiderate al momento giusto e la sostituzione delle sementi rischiosa.

Per quanto riguarda la gestione delle sementi, il 50% degli intervistati ha segnalato la mancanza di impianti di irrigazione come vincolo principale, seguito da altri vincoli quali. la scarsa germinazione dei semi, la mancanza di strutture di stoccaggio migliori, la scarsità di denaro per l'acquisto dei fattori di produzione, la fluttuazione dei prezzi dei raccolti e il basso reddito agricolo, i danni alle colture dovuti alla mancanza di conoscenze sulle previsioni meteorologiche, la scarsa fertilità e qualità del suolo, il costo elevato di insetticidi e pesticidi, la carenza e l'indisponibilità tempestiva di manodopera agricola, l'elevato numero di attacchi di insetti e malattie alle colture e la mancanza di conoscenze complete sulla gestione delle sementi.

Per eliminare i vincoli, i suggerimenti forniti da oltre il 54% degli intervistati prevedono la disponibilità di impianti di irrigazione, la disponibilità di informazioni su nuove varietà e tecniche in tempi adeguati, la fornitura di analisi del terreno, la disponibilità di vari input come sementi, fertilizzanti ecc. in tempi adeguati, la disponibilità tempestiva di manodopera e lo sviluppo di nuove tecniche per ridurre il fabbisogno di manodopera; gli agricoltori hanno suggerito la disponibilità di previsioni meteorologiche, il miglioramento della struttura di stoccaggio, l'erogazione di sussidi per l'acquisto di input, la disponibilità di sementi e altri input in paese e la fornitura di informazioni su insetti e malattie in tempi adeguati.

Conclusione

> La maggior parte degli intervistati apparteneva alla fascia di età media (da 36 a 50 anni) e aveva un'istruzione primaria (fino alla quinta classe). La maggior parte degli intervistati aveva una famiglia di medie dimensioni (da 6 a 10 membri). La maggior parte degli intervistati era membro di un'organizzazione con 16-30 anni di esperienza agricola e ha partecipato alla discussione con l'agente di divulgazione. Il 56,67% degli intervistati aveva un impianto di irrigazione e la principale fonte di irrigazione era il tubewell, il 100% degli intervistati era coinvolto nell'agricoltura, la maggior parte degli intervistati aveva un reddito annuo fino a 50000 rupie.

> La maggior parte degli intervistati (65%) ha acquisito credito e costituito la società cooperativa fino a 6 mesi di durata per l'acquisto di fertilizzanti e altri strumenti o fattori di produzione, gli intervistati hanno avuto fino a 10000 di credito, hanno ottenuto informazioni sulla gestione delle sementi dall'addetto all'estensione dell'agricoltura rurale (RAEO), hanno usato >5 fonti di informazione, gli intervistati hanno una cosmopolitica media (una volta alla settimana).

> La partecipazione di genere alle pratiche di gestione delle sementi ha coinvolto sia le donne che gli uomini, ma le femmine sono state dominanti nella maggior parte delle pratiche, l'utilizzo di diverse fonti di sementi ha permesso agli intervistati di utilizzare l'ente statale per le sementi, la disponibilità di sementi in tempo utile (48,33%), la maggior parte degli intervistati (65,83%) ha avuto semi parzialmente puri, (65%) gli intervistati hanno acquistato sementi che erano costose, la maggior parte degli intervistati ha avuto una scarsa disponibilità di sementi in base alle esigenze, ha avuto sementi nel proprio villaggio. Il grado di conoscenza complessivo era del 60,32% e il divario di conoscenza del 39,68%, (83,33%) gli intervistati hanno adottato la gestione delle sementi nella varietà locale e in meno del 25% dell'area. La maggior parte degli intervistati ha praticato 1-2 arature, 25-30 kg ha di sementi^{-1} , il 40,35% ha adottato tecniche indigene, la maggior parte degli intervistati ha utilizzato fertilizzanti, concimi e diserbo.

> Gli intervistati si sono esercitati nella pulizia, nella trebbiatura della farina, nella separazione degli inerti e dei semi di erbe infestanti, nell'essiccazione, nel trattamento dei bidoni, nella classificazione e nel trattamento degli insetti nocivi.

> La maggior parte degli intervistati (45,83%) ha utilizzato sacchetti di plastica per la conservazione dei semi di riso. Per quanto riguarda la struttura di stoccaggio dei semi non di riso, la maggior parte degli intervistati (27,5%) ha utilizzato sacchetti di plastica, il 10%

ha appeso i semi a bastoncini di legno, il 15% ha conservato alcuni semi di ortaggi nella frutta stessa senza separarli.

> Nell'ambito dello studio, il tasso di sostituzione delle sementi degli intervistati nella coltura del riso dal 2010 al 2014 è stato del 52,80%, quello del grano del 23,14%. Nella coltura del mais il 48,16%.

> Sulla base del coefficiente di correlazione e dell'analisi di regressione multipla, si può concludere che per aumentare il tasso di sostituzione delle sementi tra gli intervistati, è necessario aumentare il loro reddito annuo con l'offerta di opportunità appropriate, la disponibilità di sementi di buona qualità nelle vicinanze della loro residenza e la fornitura di informazioni con regolarità e al momento giusto. Per aumentare il tasso di sostituzione delle sementi si dovrebbero fornire opportunità e strutture in base alle categorie di proprietà terriera, poiché il SRR è risultato diverso nelle diverse categorie. I vari vincoli e suggerimenti segnalati dagli intervistati devono quindi essere fatti sforzi per ridurre questi vincoli con i loro suggerimenti.

SUGGERIMENTI PER LAVORI FUTURI

Sulla base dei risultati e dell'esperienza acquisita al termine dell'indagine, si suggeriscono i seguenti punti per ulteriori studi:

1. Uno studio simile dovrebbe essere condotto con un maggior numero di intervistati anche in altre parti dello Stato per conoscere il modello di gestione delle sementi e il rapporto di sostituzione delle sementi tra gli agricoltori.

2. Dovrebbe essere condotto uno studio tra le diverse categorie di agricoltori per conoscere il loro livello di conoscenza e le pratiche esistenti di gestione delle sementi.

3. È necessaria una politica speciale da parte dei governi centrali e statali per creare un sistema di sementi comunitarie in tutto il Paese, al fine di aumentare il tasso di sostituzione delle sementi attraverso la disponibilità di sementi di qualità nell'approccio a grappolo.

4. Dovrebbe essere condotto uno studio per analizzare le pratiche di selezione delle sementi, il sistema di sementi esistente e le sue implicazioni nelle altre parti dello Stato.

RIFERIMENTI

Anonimo, 1976 *Rapporto annuale* della NSC (National Seeds Corporation).

Anonimo, Piano nazionale delle sementi 2003. Seednet.gov.in

Anonimo, 2012 a National Seeds Corporation Ltd., Beej Bhavan, New Delhi.

Anonimo, 2012 b Sostituzione delle sementi e produzione e distribuzione delle sementi. agridept.cg.gov.in/statistics.htm

Anonimo, 2013 Geografia di Surguja e Surajpur. agripb.cg. gov.in

Anonimo, 2014 Tassi di sostituzione delle sementi. Sostituzione dei semi e produzione Seednet.gov.in

Almekinders, C. e Louwaars, N. 1999. Produzione di sementi da parte degli agricoltori: Nuovi approcci e pratiche. Londra: Intermediate Tech. Publications.

Adetumbi1, J. A. Saka1, J.O. e Fato, B.F. 2010. Il sistema di manipolazione delle sementi e le sue implicazioni sulla qualità delle sementi nella Nigeria sud-occidentale J. of Agril. Extension and Rural Development Vol. 2(6), pp. 133-140.

Bloom, S.D. 1979. Tassonomia degli obiettivi educativi: la classificazione degli obiettivi educativi. Handbook Incogetive Domin, Longman Group Ltd. Londra.

Banerjee, S. K. 1984. Le sementi nell'agricoltura indiana negli anni '80 e oltre, Indian Agriculture, 28: 115-20.

Badebo, A. e Lindeman P.O. 1987. Indagine sulle sementi di grano ad Arsi, Asela, Etiopia: Pubblicazione SEAD n. 4.

Brennan, J. P. e Byerlee, D. 1991. Il tasso di sostituzione varietale nelle aziende agricole: 18-33. In Rapporto annuale dell'unità sementiera di Aleppo, Siria: ICARDA.

Bajracharya, B. 1994. Questioni di genere nell'agricoltura nepalese: Una rassegna. Rapporto di ricerca n. 25. Kathmandu, Nepal: HMG Ministero dell'Agricoltura/Winrock International.

Bishaw, Z. Gastel, A. J. Shawel, K. e Sahlu, Y. 1994. Indagine sulle sementi in Etiopia. Andra Pradesh, India: ICRISAT. In *Rapporto annuale dell'unità sementiera,* 17-26. Aleppo, Siria: ICARDA.

Belay, G. Tesemma, T. e Mitiku, D. 1995. Selezione naturale e umana per il grano tetraploide a grana viola negli altopiani etiopici. Genetic Resources and Crop Evolution 42:387-91.

Bishaw, Z. e Kugbei, S. 1997. Fornitura di sementi nella regione di Wana: Stato e vincoli. In Strategie alternative per la fornitura di sementi ai piccoli agricoltori. Atti di una *conferenza internazionale sulle opzioni per il rafforzamento dei sistemi sementieri nazionali e regionali in Africa e Asia occidentale, a cura di D. D. Rohrbach.* D. D. Rohrbach,

Benteley, J. W. e Vasques, D. 1998. Il sistema delle patate da semina in Bolivia: crescita organizzativa e anelli mancanti. Documento della Rete di Ricerca ed Estensione Agr. Res. and Extension Network Paper No. 85. Londra: ODI.

Bishaw, Z. 2004. Sistemi di semina di grano e orzo in Etiopia e Siria. Tesi di dottorato, Università di Wageningen, Paesi Bassi, 383 pagine.

Bishaw, Z. Sahlu, Z. Thijssen, B. S. Beshir, A. e de Boef W.S. 2008. Agricoltori, semi e varietà: sostenere l'approvvigionamento informale di sementi in Etiopia. e Contesto e concetti Lo stato dell'industria sementiera etiope Wageningen, Wageningen International. 348 p. 23

Bhandari, N. Opondo, M. Bentaya, M.G. e Hoffmann, V. 2014. Grano o seme? Le pratiche di gestione delle sementi di sorgo da parte degli agricoltori del Kenya occidentale Università di Hohenheim, Dipartimento di Comunicazione ed Estensione Agricola, Stoccarda, Germania Kenya Agril. Res. del Kenya (KARI), KARI- Kibos, Kenya

Bishawa, Z. Struik, P.C. e Gastel A. J. Van, G. 2010. Sezione Sementi, Sistema sementiero del grano in Etiopia: Percezione varietale degli agricoltori, fonti di sementi e gestione delle sementi ICARDA, Aleppo, Siria, Center for Crop Systems Analysis Wageningen University, Wageningen, Paesi Bassi Harspit. J. of New Seeds, 11:281-327, 2010

Beshir, A.B. Bedru, D.I. 2013. Accesso alle sementi e adozione di varietà da parte degli agricoltori in Etiopia: A Case of Open Pollinated Maize in Drought-Prone Central Rift Valley Approvato dal Comitato GSID: P.P.1-196 per la tesi di dottorato.

Beye, A.M. e Marco C. S. 2014. Coltivare la conoscenza dei sistemi e delle strategie sementiere: Il caso della coltura del riso in Africa, Wopereis Net J. of Agril. Science Vol. 2(1), pp. 11-29

Coharan e Cox 1957. Disegno sperimentale. Seconda edizione.

Diaz, C. P. Hossain, M. Luis, J. S. e Pais, T. R. 1994. Conoscenza, atteggiamento e pratica delle tecnologie di gestione delle sementi nella risicoltura di Luzon centrale. Phillipp. J. Crop Science Society.19(2)

David, S. e Sperling, L. 1999. Migliorare i meccanismi di distribuzione della tecnologia: Lezioni dalla ricerca sui sistemi di sementi di fagiolo nell'Africa orientale e centrale. Valori Agricoli e Umani 16: 381-388

Dubey, Y. K. 2008. Analisi dello scenario attuale e dei vincoli nell'adozione di pratiche lattiero-casearie migliorate seguite dagli allevatori nelle vicinanze della città di Raipur. Tesi di laurea, IGKV, Raipur (C.G.).

Ensermu, R. Mwangi W. Verkuijl H. Hassena M. e Alemayehu Z. 1998 farmers' Wheat Seed Sources and Seed Management in Chilalo Awraja, Ethiopia publication by CIMMYT. Addis Abeba, Etiopia: IAR. p.p 1-47

Esaff 2013. Sementi e processi di ricerca agricola in Tanzania: il caso della partecipazione degli agricoltori su piccola scala alla definizione dell'agenda di ricerca, finanziato dal progetto INSARD dell'UE, pagg. 29-32.

Grisley, W. 1993. Sementi per la produzione di fagioli nell'Africa subsahariana: questioni, problemi e possibili soluzioni. Sistemi agricoli. 43. pp19-33

Gamba, P. C. Ngugi, H. Verkuijl, W. Mwangi e Kiriswa. F. 1999. Gestione delle sementi e adozione varietale in Kenya. In Tenth Regional Wheat Workshop for Eastern, Central and Southern Africa, University of Stellenbosch, South Africa, Addis Ababa, Ethiopia: CIMMYT. pp. 53-62.

Ghimire, S. Mehar, M. e Mittal, S. 2012. Centro internazionale per il miglioramento del mais e del frumento, CIMMYT-India, NASC Complex, CG-Block, DPS Road, Pusa, New Delhi Agricultural Eco. Research Review Vol. 25 (Conference Number) pp 399-408

Henderson, P. A. e Singh, R. 1990. Legami tra ONG e governo nella produzione di sementi: Casi di studio in Gambia e in Etiopia. Documento di rete sull'amministrazione agricola (ricerca ed estensione) n. 14. Londra: ODI.

Heisey, P. W. e Brennan, J. P. 1991. Un modello analitico della domanda di sementi di ricambio da parte degli agricoltori. American J. of Agricultural Economics 73:1044-52.

Haile, A. Negatu, W. e Retu, A. B. 1991. Trasferimento tecnologico per la produzione di grano in Etiopia. In La ricerca sul grano in Etiopia: A historical perspective, Addis Abeba, Etiopia: IAR/CIMMYT.277-99.

Hanchinal R.R. 2012 Una panoramica degli sviluppi del settore sementiero indiano e delle sfide future. *Congresso nazionale sulle sementi,* Raipur 1-12

Joshi, A.K. Mishra, B. Chatrath, R. Ferrara, O. G. e Singh, R. P. 2007 Il *miglioramento del grano in India: Stato attuale, sfide emergenti e prospettive future. Euphytica.* 157(2): 431-446.

Jangid, M.K. Lal, H. Jhajharia, A.K. Sharma, B.K. e Kumari, S. 2010. Associazione tra variabili indipendenti e bisogni formativi degli agricoltori in merito alla tecnologia di produzione del pisello migliorata. Rajasthan J. of Extension Education 17&18:140-143.

Kumar, A. 1993. Valutazione dell'impatto della dimostrazione in prima linea del mung estivo. Tesi di dottorato, RAU, Pusa (Bihar).

Kashyap, R. K. e Duhan, J. C. 1994. Stato di salute delle sementi di grano salvate dagli agricoltori in Haryana, India: Un caso di studio. Scienza e tecnologia delle sementi 22:619-28.

Kumari, A. 2001. Il ruolo delle donne rurali nel processo decisionale delle attività agricole e domestiche. Tesi di laurea, Samastipur, RAU, Pusa (Bihar).

Kapoor, A. 2006. L'industria delle sementi che ridefinisce l'agricoltura indiana. Agricoltura oggi, 9: 30-31.

Kumar, A. e Rathod, M. K. 2013. Comportamento degli agricoltori nell'adozione di tecnologie raccomandate per la soia. Agriculture Update 8(1&2): 134137.

Mekuria, M. Demeke, M. Amha, W. Ehui, S. e Zegeye, T. 1995. Sviluppo e trasferimento di tecnologia nell'agricoltura etiope: Un'evidenza empirica. In Sicurezza alimentare, nutrizione e riduzione della povertà in Etiopia: Problemi e prospettive. *Atti della Conferenza inaugurale e della prima conferenza annuale della Agricultural Economics Society of Ethiopia,* ed. 109-30.

McGuire, S. 2001. Analisi dei sistemi sementieri degli agricoltori: Alcune componenti concettuali. In: L. Sperling (eds). *Aiuti mirati alle sementi e interventi sui sistemi sementieri: Rafforzare i sistemi sementieri dei piccoli agricoltori in Africa orientale e centrale. Atti di un workshop* PRGA, CIAT e IDRC. Kampala. 1-8.

Mukim, G. K. 2004. Uno studio sull'adozione di una tecnologia di produzione di girasole raccomandata tra gli agricoltori del distretto di Rajnandgaon del Chhattisgarh.Tesi di laurea, IGKV, Raipur (C.G.).

McGuire, S. 2008. Garantire l'accesso ai semi: relazioni sociali e scambio di semi di sorgo nell'Etiopia orientale. Hum Ecol 36: 217-229.

Magili, G.S. 2008. Analisi di genere nella conservazione e nell'utilizzo delle varietà di mais nella Tanzania meridionale: Un caso di studio dai distretti di Rangwa e Nachingwa.

McGuire, S. e Sperling, L. 2011. I legami tra la sicurezza alimentare e la sicurezza delle sementi: fatti e fantasia che guidano la risposta. Sviluppo in pratica 21(4-5): 493-508.

Mgonja, M. 2011. Seeds without Borders, food agriculture and natural resources policy analysis network ICRISAT; Nairobi, Kenya Policy Brief Series Issue no. 1: Volume XI

Oyekale, A.S. e Idjesa, E. 2009. Adozione di sementi di mais migliorate ed efficienza produttiva nello Stato di Rivers, Nigeria Department of Agricultural Economics, University of Ibadan, Nigeria, Academic J. of Plant Sciences 2 (1): 44-50

Parthasarathy, G. e Prasad, D.S. 1978. Risposta all'impatto della nuova tecnologia del riso in base alle dimensioni e alla proprietà dell'azienda agricola: Andhra Pradesh, India. Istituto Internazionale di Ricerca sul Riso, Filippine.

Panicker, B. e Chaudhri, M.R. 2000. Il bisogno di formazione delle donne lontane nella modernizzazione dell'agricoltura. Maharashtra J. of Ext. Edu. 19: 86-88.

Patel, M. K. 2008. Uno studio sul divario tecnologico nella tecnologia di produzione della soia raccomandata dagli agricoltori del distretto di Kabirdham dello Stato di Chhattisgarh. Tesi di laurea, IGKV, Raipur (C.G.).

Ravishankar, N. 1979. Uno studio per valutare tecnologie selezionate per l'agricoltura a secco e la loro adeguatezza per i piccoli agricoltori del distretto di Tumkar. Tesi di laurea, Università di Scienze Agrarie, Bangalore.

SAM, 1984. Sementi e sicurezza alimentare, Penag: sahabad, Alam Malaysia.

Singh, G. e Ashokan S.R. 1992. seed replacement rate: some methodological issues, working paper no. 1065 Biblioteca Vikram Sarabhai Istituto Indiano di Management Ahmadabad

Sperling, L. e Loevinsohn, M. E. 1993. La dinamica dell'adozione: Distribuzione e mortalità delle varietà di fagioli tra i piccoli agricoltori del Ruanda. Sistemi agricoli 41(4): 441-453.

Shrivatava, K.K. e Lakhera, M.L. 2003. Analisi dell'impatto del programma di formazione sui funghi. Maharashtra J. of Ext. Edu. 22 (2): 22-27.

Sahu, V.K. 2006. Uno studio sull'analisi di vari programmi di formazione organizzati dal Krishi Vigyan Kendra, Bilaspur (C.G.). Tesi di laurea, IGKV, Raipur (C.G.).

Smale, M. Singh, J. Di Falco, S. e Zambrano, P. 2008. Selezione del grano, produttività e lento cambiamento varietale: Prove dal Punjab dell'India dopo la Rivoluzione Verde. Australian J. of Agricultural and Resource Economics, 52(4): 419-432.

Sahlu, Y. Simane, B. e Bishaw, Z. 2008. Il programma di produzione e commercializzazione delle sementi da parte degli agricoltori: lezioni apprese. Agricoltori, semi e varietà: sostenere l'approvvigionamento informale di sementi in Etiopia, 33-47 Wageningen: Wageningen International.

Singh, H. Mathur, P. e Pal, S. 2008. Sviluppo del sistema sementiero indiano: Agricultural Economics Research Review Vol. 21 pp 20-29National Centre for Agricultural Economics and Policy Research (ICAR).

Sperling, L. e McGuire, S. 2010. Comprendere e rafforzare i mercati delle sementi infromali. Expl Agric. 46(2): 119-136.

Smale, M. Diakité, L. Dembélé, B. Traoré, G. O. e Konta, B. 2010. "Il *commercio delle fonti genetiche di miglio e sorgo: Le donne venditrici nelle fiere di villaggio di San e Douentza, Mali". Documento di discussione IFPRI* n. 746, International Food Policy Research Institute, Washington, DC.

Tetley, K. A. Heisey, P. W., Ahmed, Z. e Munir, A. (1991) Farmer's sources of wheat seed and wheat seed management in three irrigated regions of Pakistan. Seed Science & Tech. 19: 123-38.

Tripp, R. e Pal, S. 1998. Lo scambio di informazioni nei mercati commerciali delle sementi in Rajasthan Network paper no. 83:(1-16) Ag. Rete di ricerca ed estensione (AGRIN)

Tessema, T. e Tanner, D. G. 1999. Determinazione delle densità soglia economiche per le principali specie infestanti che competono con il grano da pane in Etiopia. In Tenth Regional Wheat Workshop for Eastern, Central and Southern Africa, University of Stellenbosch, South Africa, Addis Ababa, Ethiopia: CIMMYT, 249-72.

Tekrony, D.M. 2002. Che cos'è il vigore dei semi? Università del Kentucky, ISTA Compact Disc Inc.

Thanh, N.C. e Singh, B. 2006. Vincoli per gli agricoltori nella produzione ed esportazione di riso. Omon rice 1497:110.

Tripp, R. 2006 Strategie per lo sviluppo del sistema sementiero nell'Africa subsahariana: A study of Kenya, Malawi, Zambia, and Zimbabwe, An Open Access J. published by ICRISAT, Volume 2 Issue 1 pg-1-47

Tiwari, S.G., Saxena, K.K., Khare, N.K. e Khan, A.R. 2007. Fattori associati all'adozione di pratiche consigliate per il pisello. Indian Res. J. of Extension Education 7(2&3):60-61.

Tura, M., Aredo, D., Tsegaye, W., Rovere, R., Tesfahun, G., Mwangi, W. e Mwabu, G. 2010. Adozione e uso continuato di sementi di mais migliorate: Caso di studio dell'Etiopia centrale African J. of Agril. Ricerca 5(17): 23502358.

Verma S. e Sidhu, M.S. 2009. Fonti, sostituzione e gestione delle sementi di risone da parte degli agricoltori del Punjab, Agril. Eco. Research Review Vol. 22 pp 3233281 Dipartimento di Economia e Sociologia, PAU, Ludhiana, Punjab.

Fotografie di diversi tipi di conservazione dei semi (appesi a un bastone di legno, sacchetti di plastica, sacchi di tela, bidoni di bambù).

Fotografie della strigliatura e della pulizia dei semi

Fotografie della raccolta dati durante lo studio

Nome	**Akanksha Pandey**	
Data di nascita	16/07/1991	
Indirizzo:	Dipartimento di Estensione Agricola, IGKV, Krishak Nagar, Jora, Raipur, C.G. Pin. 492012	
Telefoni:	9691777606	
E-mail:	akankshapandey2212@gmail.com	
Indirizzo permanente:	Villaggio- Ropakhar, Post- Kamleshwerpur, Tah.- Mainpat, Distretto - Surguja, C.G. pin- 497111	
Qualifica accademica		
Laurea	**Anno**	**Università / Istituto**
10th	2007	CGBSE, Raipur
12th	2009	CGBSE, Raipur
B.Sc. (Ag)	2013	IGKV, Raipur, C.G.
Msc (Estensione agricola)	2015	IGKV, Raipur, C.G.
Borsista di dottorato (Estensione agricola)	2015 fino a continuare	IGKV Raipur, C.G.
Esperienza professionale (se presente):	RAWE (Esperienza di lavoro agricolo rurale)	
Premi/riconoscimenti (se presenti):	• Ha partecipato al National Service Scheme dal 2009 al 2013 nel distretto di Surguja dello stato di Chhattisgarh. • Partecipato e premiato all'incontro sportivo zonale 2012-2013 ad Ambikapur C.G. • Partecipato e premiato al Madai youth festival 2014-15 a Raipur C.G. • Ha partecipato alla festa nazionale dei giovani ICAR SAUs nel 2015 a Karnal Haryana. • Qualificato ICAR NET nel 2015. • Premiato per la migliore presentazione di un poster in ISEE al seminario nazionale di Gwalior 2016 • Premiato per la migliore ricerca con presentazione orale e poster al seminario nazionale della Society of Extension Education a Hyderabad 2017.	

Pubblicazioni (se presenti):	Ho pubblicato cinque articoli di ricerca su riviste nazionali e internazionali, un articolo di revisione e tre articoli in lingua hindi. Sei abstract pubblicati e presentati in diversi seminari, conferenze e workshop,
	Firma

Milton Keynes UK
Ingram Content Group UK Ltd.
UKHW010853280324
440101UK00001B/234